Retablos
y exvotos

DEL 15 DE NOVIEMBRE AL 21 DE ENERO • 2001

 MUSEO FRANZ MAYER Av. Hidalgo 45. Plaza de la Santa Veracruz. Centro Histórico. México, D.F. Tel.: 5518 2265. Martes a domingo de 10:00 a 17:00 hrs.

TANE

ORFEBRES

Diseño de Objetos: Equipo de Diseño de TANE • Diseño Gráfico: Ricardo Salas • Fotografía: Jorge Alcaide, 2000

Leonora Carrington

Arte Joya **Minotaura**

Hay quienes con toda seguridad,
siempre tienen felices sueños.

TOWN & COUNTRY Ltd.

La nueva Minivan Chrysler Town & Country 2001 proporciona tal tranquilidad,

que no sería difícil hasta soñar con ella. Y es que cuenta con más de 40 puntos

de seguridad, incluyendo sensores para obstáculos en sus puertas eléctricas

laterales y trasera, además de anclas universales para asientos de niño.

Chrysler Town & Country Ltd. La mejor Minivan jamás creada.

CHRYSLER

GRANDES MAESTROS DEL ARTE POPULAR

Dentro del marco de beneficio social y desarrollo comunitario del Programa de Apoyo al Arte Popular y con el fin de rescatar y preservar la maestría tradicional de los artesanos de los Altos de Chiapas, tanto como sus típicos productos de cultura popular, Fomento Cultural Banamex, A.C., ha incidido en el sureste mexicano con apoyos orientados hacia el mejoramiento técnico y el perfeccionamiento de los acabados textiles. Asimismo, capacita a jóvenes generaciones de artesanos y posibilita el establecimiento de nexos comerciales para la venta de la artesanía mexicana de excelencia.

Actividad textil: memoria de un pueblo hecha tejido.
Asociación de Artesanas de Sna Jolobil.

🏵 Fomento Cultural Banamex, A.C.

Centro Cultural Telmex

Tu conexión al arte y la cultura.

Un nuevo espacio cultural que dará cita a los mejores espectáculos teatrales y eventos de renombre internacional.

Centro Cultural Telmex
Av. Cuauhtémoc.
Esq. Av. Chapultepec.
Col. Roma.
Antes Teatros Alameda.

www. telmex. com.mx

Telmex está en la cultura.
Telmex está contigo.

TELMEX

hay un lugar
ford excursion

SIN LÍMITES
FORD OUTFITTERS

Ford

Viaja sin itinerarios a donde no transcurre

el tiempo, a donde el sol y la luna son eternos,

a lugares que siempre han estado ahí,

esperándote.

latitud: 23° 03′ 21″   longitud: 89 4.1′ 10.06″

Visita el site de Ford Outfitters en www.ford.com.mx, teclea estas coordenadas para descubrir este maravilloso lugar.

Ford

www.ford.com.mx
1(800)7392673

Ford
Credit

Selva Lacandona. Otro espacio verde protegido por Ford y sus Distribuidores.

escape

explorer sport

explorer

expedition

excursion

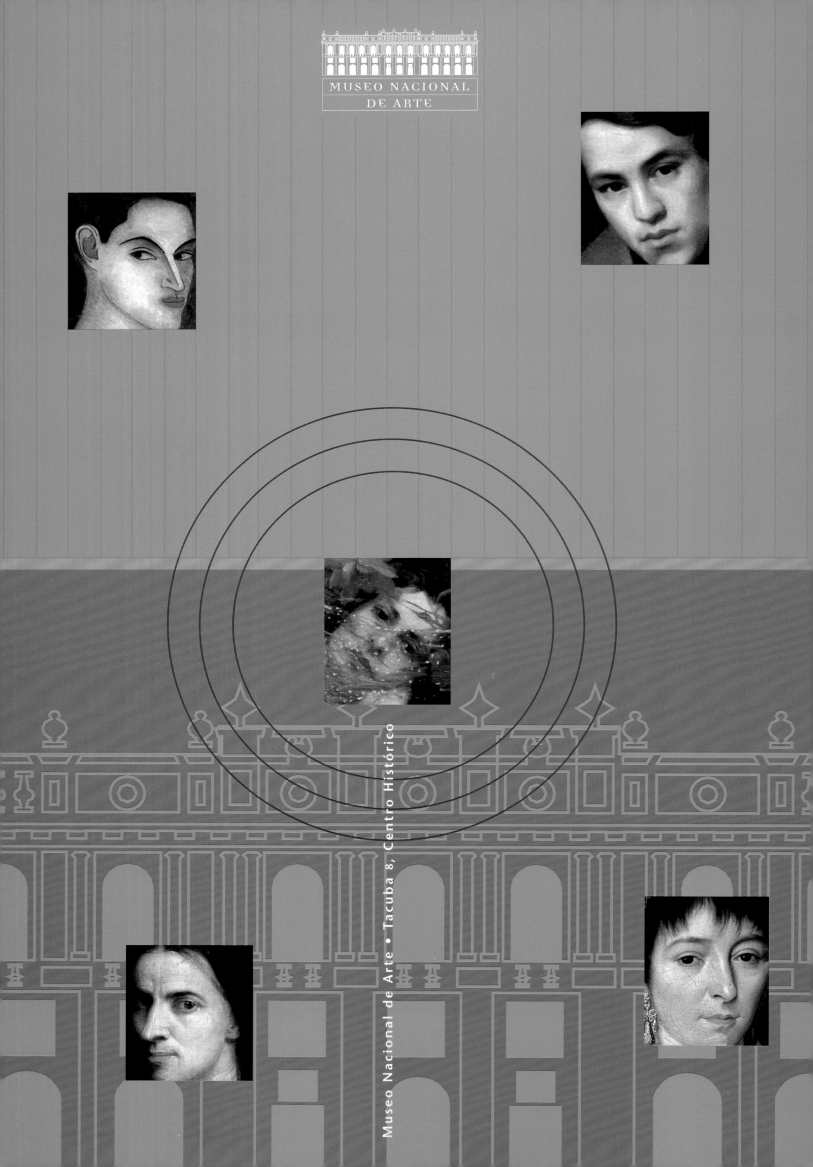

MUSEO NACIONAL
DE ARTE

Museo Nacional de Arte • Tacuba 8, Centro Histórico

munal
MUSEO NACIONAL DE ARTE

ELLOS comparten un nuevo espacio

Ven a descubrirlos
A partir del 30 de noviembre

Museo Nacional de Arte
Tacuba 8, Centro Histórico

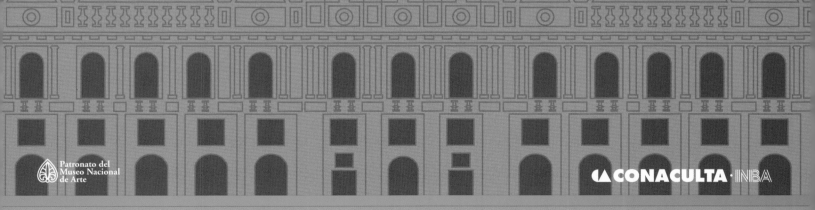

Patronato del
Museo Nacional
de Arte

CONACULTA·INBA

En Jamaica hacemos los Monumentos Nacionales Portátiles.

APPLETON ESTATE. TESORO NACIONAL DE JAMAICA.

Armonía, elegancia y poder...

...finalmente juntos.

Audi S8... Supremacía Audi.

No existe ningún otro automóvil que impresione más al combinar deportividad con lujo y confort que el Audi S8. Su motor V8, 4.2 con 360 hp, sólo toma 6.6 segundos para acelerar de 0 a 100 km/h con el desempeño de un automóvil deportivo, pero con la clase y sofisticación de una limousine de lujo. Su transmisión Tiptronic, carrocería de Aluminio: Audi Space Frame, sistema de tracción quattro, Programa de Estabilidad Electrónico (ESP), techo solar, luces de Xenon, sonido BOSE y suspensión deportiva, se traducen en seguridad y máximo placer de conducción. Audi S8, rompiendo con lo convencional.

Audi ⬭⬭⬭⬭
Liderazgo por tecnología

Artes de México

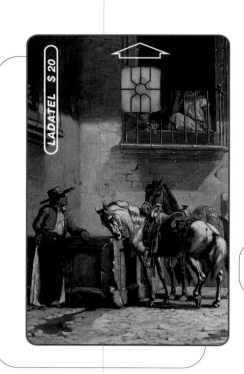
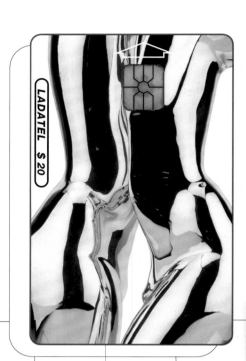

Reserva de la Familia. Un tequila de sangre azul.

MONT
BLANC

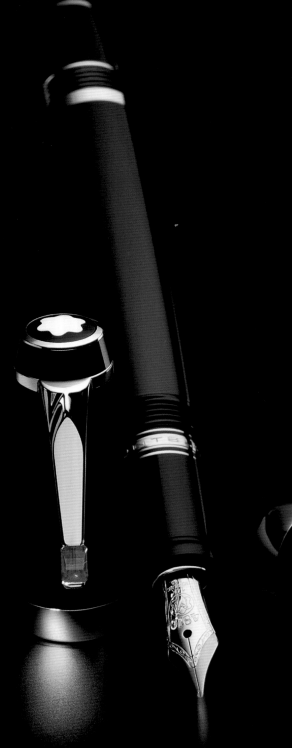

BOHÈME

La nueva Colección. Vestida para ser deseada

EXVOTOS

ARTES
DE MEXICO

DE MEXICO

REVISTA LIBRO NÚMERO 53

AÑO 2000

FUNDADA EN 1953 POR

MIGUEL SALAS ANZURES Y

VICENTE ROJO

DIRECTOR GENERAL
Alberto Ruy Sánchez Lacy
SUBDIRECTORA
Margarita de Orellana
GERENTE DE ADMINISTRACIÓN
Teresa Vergara
JEFA DE REDACCIÓN
Ana María Pérez Rocha
JEFE DE DISEÑO
Luis Rodríguez
JEFA DE PRODUCCIÓN
Susana González Ruiz
SECRETARIA DE REDACCIÓN
Sandra Luna
DISEÑO
Estela Arredondo
Carolina Martínez
REDACCIÓN
Gabriela Olmos
EDICIÓN EN INGLÉS
Michelle Suderman
ASISTENTE DE REDACCIÓN
Eduardo González
CORRECCIÓN
Elsa Torres Garza
TRADUCCIÓN
Edgar Arredondo
Belkis Maldonado
María Palomar
Isabella Radcliffe
Jana Schroeder
Elena Schtromberg
PUBLICIDAD
Yolanda Aburto
Laura Becerril
Manuel Lizaola

OFICINAS Y SUSCRIPCIONES
Plaza Río de Janeiro 52
Col. Roma, México, D. F. 06700
Teléfonos:
5525 5905, 5208 4503
5525 4036, 5208 3205
Fax: 5525 5925
Correo electrónico:
artesmex@internet.com.mx
Página web:
www.artesdemexico.com

DISTRIBUCIÓN Y VENTAS
Tehuantepec 148
Col. Roma Sur, México, D. F. 06770
5584 8248 Fax: 5564 3844

IMPRESIÓN
Reproducciones Fotomecánicas, S.A. de
C.V. Impreso en papel Creaprint de 135
gramos, Torras Papel,
comercializado por Unisource, S.A. de C.V.
y encuadernado en Encuadernadora
Mexicana, S.A.
de C.V.

CONSEJO DE ASESORES
Alfonso Alfaro
Luis Almeida
Homero Aridjis
Juan Barragán
Huberto Batis
Alberto Blanco
Antonio Bolívar
Rubén Bonifaz Nuño
Julieta Campos
Efraín Castro
Leonor Cortina
José Luis Cuevas
Salvador Elizondo
Cristina Esteras
Manuel Felguérez
Beatriz de la Fuente
Carlos Fuentes
Sergio García Ramírez
Concepción García Sáiz
Teodoro González de León
Andrés Henestrosa
José E. Iturriaga
Miguel León-Portilla
Jorge Alberto Lozoya
Alfonso de Maria y Campos
José Luis Martínez
Eduardo Matos Moctezuma
Vicente Medel
Álvaro Mutis
Bruno J. Newman
Luis Ortiz Macedo
Brian Nissen
Ricardo Pérez Escamilla
Jacques Pontvianne
Pedro Ramírez Vázquez
Vicente Rojo
Guillermo Tovar
José Miguel Ullán
Juan Urquiaga
Héctor Vasconcelos
Eliot Weinberger
Ramón Xirau

ASAMBLEA DE ACCIONISTAS
Víctor Acuña
Cristina Brittingham de Ayala
Mita Castiglioni de Aparicio
Armando Colina Gómez
Margarita de Orellana
Olga María de Orellana
Ma. Eugenia de Orellana de Hutchins
Octavio Gómez Gómez
Rocío González de Canales
Michèle Sueur de Leites
Bruno J. Newman
Jacques Pontvianne
Abel L. M. Quezada
Alberto Ruy Sánchez Lacy
José C. Terán Moreno
José Ma. Trillas Trucy
Teresa Vergara
Jorge Vértiz

CONSEJO DE ADMINISTRACIÓN
Presidente
Alberto Ruy Sánchez Lacy
Vicepresidente
Jacques Pontvianne
Consejeros
Octavio Gómez Gómez
Phillip Hutchins
Bruno J. Newman
Margarita de Orellana
Abel L. M. Quezada
Enrique Rivas Zivy
Jorge Sánchez Ángeles
Teresa Vergara
Comisario
Julio Ortiz
Secretario
Luis Gerardo García Santos Coy

INSTITUTO DE INVESTIGACIONES
ARTES DE MÉXICO
Director
Alfonso Alfaro

REPRODUCCIÓN FOTOGRÁFICA
Portada:
Rubén Orozco
Interiores:
Rubén Orozco, excepto:
Lourdes Almeida, p. 1, 2, 42, 44, 45
Manuel Zavala, p. 9, 11, 20
Jorge Vértiz, p. 10, 12-13, 14, 15, 16-17,
18, 19, 21
Anthony Richardson, p. 24, 26-27, 32-33,
37, 38
Elisa Alvarado, p. 25
Paul Durand, p. 28, 39
Kathy Vargas, p. 30 arriba, 31 abajo, 34, 35
Rury Fischelt, p. 32-33
Cecilia Salcedo, p. 43
Pavel Ruzicka, p. 75, 76, 77, 78, 79.

Artes de México es una publicación de
Artes de México y del Mundo, S.A. de C.V.
Miembro núm. 127 de la CANIEM.
Certificado de Licitud de Contenido
núm. 55. Certificado de Licitud de Título
otorgado por la Comisión Calificadora de
Publicaciones y Revistas Ilustradas
núm. 99. Reserva de Título núm.
04-1998-061720262000-102.
Como revista: ISSN 0300-4953.
Como libro: ISBN 970 683 015 4.
Distribuida por Artes de México y DIMSA,
Mariano Escobedo 218,
Col. Verónica Anzures, México, D. F. 11370.
Noviembre de 2000.

PÁGINA 1:
MAGALI LARA.
PRESA DE UNA MALA PASIÓN.
1987. ÓLEO/LÁMINA.
20 X 31 CM. COLECCIÓN DE LA
ARTISTA.

En el mes de Abril de 1860 habiendo sido sorprendido en la calle a las 11 de la noche Ambrocio

Gonzalez por los ladrones uno le dio un garrotazo en un brazo, otro le dio una cuchillada en la

cabesa, amas de 3 piquetes en el mismo punto, y su esposa lo encomendó al Sr. de la misericor-

dia, de la que tuvo la suerte de quedar bueno. (Exvoto perteneciente al Museo del Santuario del Señor de

la Misericordia, Tepatitlán, Jalisco.)

NÚMERO COORDINADO POR GLORIA FRASER GIFFORDS

MARGARITA DE ORELLANA **EDITORIAL**

Al visitar un templo o un santuario y acercarnos a esos presentes que el catolicismo popular ofrece a sus santos preferidos, es imposible no conmoverse. ⊕ En Guadalajara, por ejemplo, el Niño Jesús de la iglesia de la Merced se encuentra en una vitrina repleta de pequeñas láminas rectangulares pintadas, de "milagritos" en metal, de trenzas, ropa infantil, juguetes artesanales o de plástico y hasta prótesis. La sensación que esta imagen produce, permanece guardada en la memoria para siempre, por eso su fuerza no deja de inquietarnos. ⊕ En este número de *Artes de México* nos hemos concentrado básicamente en el exvoto pintado y en los "milagritos" de metal. Es imposible mostrar en una sola publicación todos los aspectos relacionados con esta manifestación estética y religiosa. Pero lo que sí podemos desplegar es un panorama del enorme ingenio y destreza que han depositado tantos artistas anónimos en la elaboración de estas emotivas pinturas, cuyo origen quizá se encuentre en la pintura narrativa culta de finales de la Edad Media, aunque su afinidad estética se vincule tanto con el arte moderno como con lo que llamamos arte primitivo. ⊕ Es preciso mencionar que no se trata de un arte espontáneo, ya que está sujeto a un lenguaje popular, codificado, y que por lo tanto debe seguir una serie de reglas. En este sentido, se puede considerar como una narración pictórica y verbal. ⊕ Lo que en cada una de estas piezas se representa proviene de dos universos humanos: la vida cotidiana referente a enfermedades, accidentes, desastres naturales, injusticias y otras calamidades, y la imaginería religiosa donde se reproducen las distintas advocaciones de Cristo, la Virgen y los santos, por quienes los artistas o donantes manifiestan una gran devoción y a quienes visitan con frecuencia en sus templos. ⊕ El exvoto, más que una pintura expresiva, es un objeto actuante. Es una suerte de agente que modifica y realiza una acción. El exvoto establece una especie de intercambio entre lo humano y lo divino. Y también una complicidad. ⊕ Aunque nos parezca ingenuo se trata de una acción pragmática. Podría aventurarse la idea de que el exvoto es como un billete con el que se paga el favor recibido. Sin éste no hay transacción. El exvoto está cargado de poder, un poder religioso. Es como las reliquias o el agua bendita que están dotadas de fuerza, lo queramos o no. Incluso las palabras escogidas para expresar tanto el amor al ser divino como la gratitud, también son actuantes. Reafirman la historia de amor entre un ser humano y su benefactor y refuerzan la gratitud del primero. Pero además esta historia de amor y esta gratitud, al ser pintada sobre madera o metal, se vuelve no sólo permanente, sino también pública. En el mundo donde se lleva a cabo este tipo de devoción se vive en comunidad. Y por medio de los exvotos es que ésta se entera de que entre la Virgen o Cristo y uno de sus miembros sucedió algo importante e insólito, pero que se integra a la vida de esa comunidad como un acontecimiento ordinario más. Una religiosidad deísta dudaría mucho de un acto semejante y a la larga lo rechazaría. ⊕ Estamos conscientes de que al haber sacado a los exvotos de su contexto —los santuarios—, los hemos desarmado: al extraerlos de ahí pierden fuerza y se convierten en objetos despojados. Sin embargo, estas piezas dentro y fuera de su espacio natural son fuente inagotable para entender la historia de las angustias humanas. ⊕ Nuevamente gracias a la iniciativa de Gloria Fraser Giffords, coordinadora de este número, podemos introducirnos a varias facetas de estos pequeños objetos. Los autores de estas páginas son grandes conocedores del tema y cada uno nos abre una puerta distinta para entrar en él. ⊕

ALIANZAS INCESANTES

EL ARTE DE LA DEVOCIÓN

A lo largo de la historia de las civiliza-

ciones, el arte votivo ha sido una especie

de ventana al sufrimiento del hombre: sus

diversas manifestaciones son testimonios

de la angustia, el dolor y la piedad, de la

necesidad humana de encontrar una

fuerza superior que disipe sus temores.

El 5 de Febrero d 1875 ya ocultandose la luz, Sale
á traer un cántaro de agua Mónica Garcia, de una no=
ria que está en la Huerta del Mayordomo en terreno de
Agua gorda, llegando á la noria, puso el pie en una piedrita
haciendo estremo, se resbala y cay ella dentro de la noria
á 5 varas de agua, al caer esclama Señor de las Angus=
tias me ahogo, y luego la esfuerza el agua encima, y por
tres hace sumersión, alsa las manos, afiansa de otro,
queda encangarada entre la noria, hasta que una niña
llega á llevar agua, no hallandola dice, onde estará y Mónica
dice, aquí estoy, avisa la niña, y vienen á sacarla toda mo=
jada, y prometen, representar el cuadro á la milagro=
sa imagen del Señor de las Angustias, que la libró
del peligro, y dando humildes las gracias, de tan agra=
decido trance á que se hallaban espuestas.

INCAPAZ

de controlar los fenómenos meteorológicos o las catástrofes, el ser humano ha encontrado alivio en fuerzas animistas que invoca y agradece a su debido tiempo. Estas creencias lo condujeron a desarrollar un tipo distintivo de ofrenda: el regalo votivo, que obsequiaba a los seres sobrenaturales en agradecimiento por la ayuda otorgada, o para aplacar su fuerza y lograr que prevaleciera cierto orden. Su nombre, exvoto, proviene del latín: *ex*, de, y *votum,* promesa; en otras palabras, un símbolo de agradecimiento de parte de un individuo o grupo de individuos por los favores recibidos.

En tiempos remotos, a cambio del beneficio de la comunidad, se realizaban sacrificios de bestias e incluso de seres humanos. Pero conforme las sociedades evolucionaron y los individuos adquirieron mayor control sobre su bienestar personal, los sustitutos de las ofrendas de seres vivos fueron aparentemente bien recibidos. Identificados como regalos votivos, diversos objetos con forma de animales domésticos e incluso figuras humanas completas, o sus partes, fueron hallados en Babilonia con más de cuatro mil años de antigüedad, en un asentamiento helénico del siglo VIII a.C., y entre artefactos etruscos y romanos. La tradición de presentar un símbolo físico en acción de gracias fue acogida sin reservas por los cristianos, para quienes manifestar su agradecimiento a Dios representaba un aspecto muy impor-

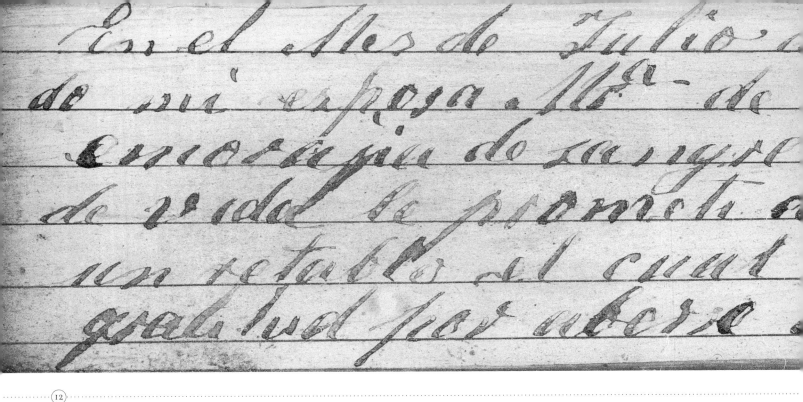

tante y significativo de su fe. Entre los pueblos del que más tarde sería llamado el Nuevo Mundo, se cultivó un fenómeno similar; la diferencia radicaba en los destinatarios del homenaje. Un cronista temprano de la Conquista, Francisco Javier Clavijero, escribió al respecto en su *Historia antigua de México*: "la obligación más importante de un sacerdote, y la ceremonia religiosa principal entre los mexicanos, consistían en ofrendar o sacrificar algo en ciertas ocasiones, ya fuera para obtener algún favor del cielo o en gratitud por los favores obtenidos". Por lo tanto, a pesar de que la conversión de los pueblos indígenas a la religión católica romana conllevaba el acuerdo tácito de abolir la fe anterior, algunas prácticas de la antigua religión se mantuvieron, aunque con algunas variantes.

Las peregrinaciones a sitios sagrados para rendir homenaje a algún dios o para pedir un favor —tradición que también se acompaña de regalos— fueron igualmente subrogadas tanto por los primeros misioneros cristianos como por los evangelizadores del Nuevo Mundo, quienes, siguiendo el consejo que san Agustín diera, en el siglo IV, a los encomendados para convertir a los celtas, permitieron el

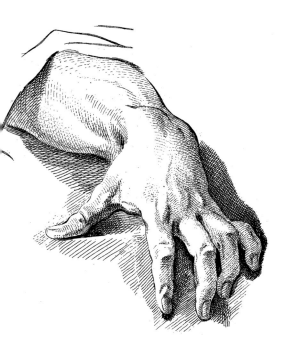

peregrinaje a los sitios sagrados —tan sólo cambiando los dioses paganos por santos cristianos. Por lo tanto, las peregrinaciones que vemos hoy en el Tepeyac o en Chalma, así como las ofrendas votivas que en estos sitios se depositan, pueden ser consideradas las manifestaciones más recientes de una tradición ininterrumpida, quizá anterior a la llegada de los españoles.

Otra tradición anterior a la Conquista, aunque desarrollada en Europa, es la de ofrecer retribuciones en forma de pequeñas pinturas. Los ejemplos más tempranos de estos exvotos pintados son italianos, y están fechados hacia la mitad del siglo XV. Resultan mucho más gráficos que la talla en cera, metal o madera de una extremidad o un órgano humano, pues el donante puede poner en claro un episodio dramático a través de imágenes y frases. Asimismo, este medio permite introducir en la escena a otros seres humanos o animales que contribuyan a incrementar la vivacidad del retablo y a hacer el milagro más explícito. Además, suele incluir la fecha y ostentar el nombre o las iniciales del donante. Al principio, las pinturas votivas fueron ofrecidas por la aristocracia y la elite social; sin embargo, después del concilio de Trento,

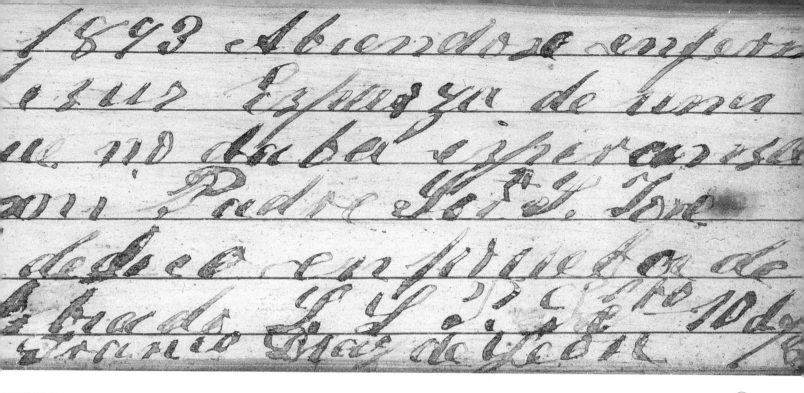

en 1660, la contrarreforma promovió entre todos los estratos sociales los testimonios de curaciones milagrosas y los subsecuentes actos de agradecimiento, con el fin de aumentar tanto el número de milagros como el ofrecimiento de exvotos.

Importados del otro lado del Atlántico, los exvotos se convirtieron en un testimonio religioso viable en el continente americano tras la llegada de los españoles. Durante la época virreinal, el arte votivo fue objeto de encargo por parte de ricos y nobles, y podía resultar en ofrendas tan elaboradas como una iglesia entera, una capilla, un altar, o una pintura de un artista prominente. Joyas para engalanar las imágenes de la Virgen María también eran obsequios frecuentes entre las mujeres pudientes. En los siglos XIX y XX se comenzaron a colocar, cerca de la imagen del santo invocado, pequeñas pinturas que retrataban el incidente milagroso y a los personajes involucrados, o réplicas en metal o cera de partes del cuerpo. Pronto en México se diferenciaron los exvotos tridimensionales de los bidimensionales: los primeros fueron llamados de forma general milagros, mientras que las pinturas o los dibujos que detallan el milagro, recibieron el nombre de retablos. El término retablo probablemente surgió de la asociación de los exvotos pintados con las esculturas y paneles de tema religioso que, en las iglesias, se encuentran en los altares, llamados, precisamente, retablos. (También se consideran exvotos las muletas, las bandas de identificación de los hospitales, los diplomas, los certificados, las trenzas de cabello, los juguetes, las fotografías o las placas de rayos X. Éstos también son muestras físicas que aluden a algún aspecto del favor concedido.)

Así como sucedió en la Europa del siglo XVII, el exvoto mexicano se convirtió, durante el siglo XIX, principalmente tras la guerra de Independencia, en una manifestación casi exclusiva de las clases más desprotegidas, debido en gran medida a la caída del viejo régimen, así como a las restricciones religiosas y al desarrollo de una nueva economía que propiciaron el surgimiento de una forma de expresión conocida ahora con el nombre de arte popular. Al igual que había objetos de devoción para capillas privadas, las pinturas votivas realizadas por autodidactas empezaron a cubrir las paredes de los santuarios próximas a imágenes particularmente milagrosas.

El exvoto es una de las manifestaciones más interesantes de la religiosidad popular. Su ámbito de influencia se mantiene fuera de la religión oficial, aunque en ocasiones estas formas de devoción sean toleradas e, incluso, fomentadas por algunas autoridades eclesiásticas. Infringiendo el control de la Iglesia, el pueblo asimila lo que puede de los dogmas, y crea un vínculo personal con la divinidad, que nutre con sus aflicciones, fruto de la soledad y la desesperanza en que vive. La relación entre el devoto y los intercesores celestiales se va forjando en la medida que el suplicante ofrece oraciones, promesas, votos, sacrificios e, incluso, amenazas y castigos, a cambio de un favor divino. Los exvotos constituyen la parte palpable de esta relación, pues manifiestan públicamente la gratitud del beneficiado y acrecientan la reputación de la persona santa como una entidad dadivosa. La interacción entre la congregación y esas figuras religiosas con quienes han formado un vínculo especial, ayuda a crear una mayor cohesión en la comunidad.

Cualquier cambio de fortuna o salud es un motivo propicio para solicitar la intercesión de algún santo.

Mientras que toda persona santificada es vista con igualdad por la iglesia católica, hay algunas que son percibidas como intercesores mejor dispuestos a aliviar los males humanos y, por lo tanto, resultan más atractivas para la congregación. Su profesión, los milagros que han realizado, o el modo en que murieron, así como las tradiciones locales, desempeñan un papel significativo en la determinación de qué santo es, en particular, el más benéfico y receptivo para las súplicas de un devoto. A san Antonio de Padua, por ejemplo, le son atribuidos los poderes de asistir en la recuperación de cosas perdidas, de auxiliar a mujeres en la búsqueda de un esposo apropiado, y, más tarde, de resolver los problemas de fertilidad de estas mismas mujeres. No es sorprendente, por lo tanto, encontrar exvotos relativos a estos asuntos específicos dedicados a él.

Puesto que san Isidro Labrador fue un humilde labriego, cuya piedad creó leyendas tales como aquella en la que Dios envió a unos ángeles para auxiliarlo en sus labores del campo (con el propósito de que él pudiera asistir a misa), su protección es buscada para lograr una buena cosecha y, en general, para el éxito de los agricultores. Las imágenes de san Isidro no sólo son llevadas en procesión alrededor de los campos durante la siembra y la cosecha, también se les adorna con emblemas que testifiquen su poder como intercesor. La asistencia efectiva en necesidades tan fundamentales puede entenderse como una razón suficiente para que ciertas figuras religiosas sean festonadas con estos testimonios, mientras que otras languidecen sin adorno alguno. También suele ocurrir que mientras la imagen de un santo puede ser una poderosa figura de conjuro en una localidad en particular, en otra apenas es atendida por los feligreses. Por otro lado, hay

En el año de 1825, enel mes de enero le acontesio esta despiasia á | asa de Dⁿ Silberio Agilar, besino del Pueblo de Santa Maria An. biendosele quemado la cosina que estaba junto á la puerta del cuaⁱ licho cuarto tenia el tejado de sacate qᵉ lebañaba la yama de la lunbⁱ ntⁱⁱⁱⁱⁱⁱⁱⁱⁱ aloⁱ del Sacromonte quiso su dibina Majestad no le ofenaⁱ | luego por lo cual prometio aser el retablo

cultos como el del Santo Niño de Atocha o el de Nuestra Señora de San Juan de los Lagos, cuya enorme popularidad se debe a que ambos son vistos como la panacea de todos los males.

La mayoría de los exvotos pintados, que actualmente se conservan, proviene de la zona del Bajío y está dedicada principalmente a las distintas advocaciones de la Virgen María o de Jesús. Un gran número de ellos está asociado con áreas geográficas, cuya importancia económica es, o fue originalmente, minera. Según el más

Exvoto dedicado al Señor del Sacromonte. 1825.

Óleo sobre lámina. Col. particular.

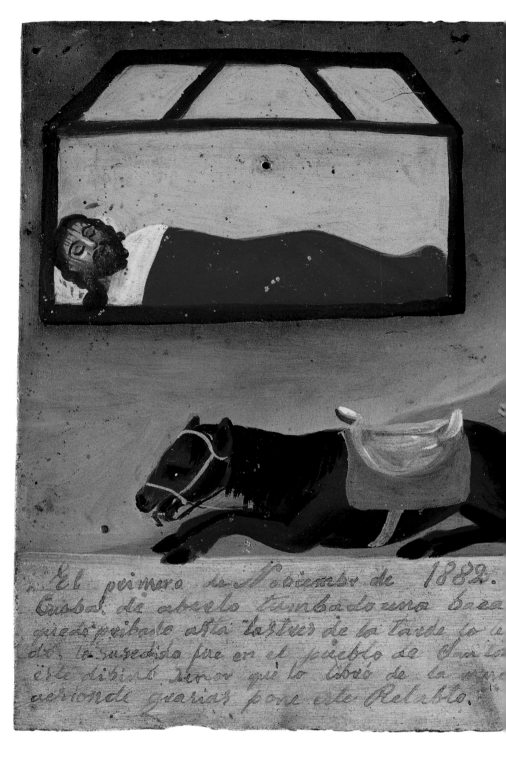

El primero de Noviembre de 1882.
Cuabal de abuelo tumbado una bea
quedo pribado asta las tres de la tarde yo a
de lo sucedido fue en el pueblo se San l
este divino Senor que lo libró de la m
a donde grasias por este Relablo.

pragmático de los análisis, la demo-
grafía, la economía, la política y la
geografía han tenido mucho que ver
con la ubicación de los centros de
peregrinación.

Independientemente del material
que los conforme −pues muchos están pintados sobre hojalata u otras
placas de metal, aunque también los hay con soportes de lien-
zo o madera−, los exvotos si-

guen un formato relativamente defi-
nido. El individuo necesitado de ayuda
se muestra suplicante o en el momento de mayor desamparo, casi siempre
frente al personaje sagrado a quien
le reza pidiendo alivio. En ocasiones
el devoto es representado dos veces:
tanto en desgracia como en oración.
La sección superior del recuadro está reservada generalmente para la Virgen, Jesús o alguno de los santos,

Exvoto dedicado al Divino Señor. 1822.
Óleo sobre lámina. Col. particular.

quienes aparecen sobre nubes o irra-
diando luz. En la base, una cartela
contiene el nombre de la persona
que agradece el milagro, la fecha del
incidente, así como una breve descripción del acontecimiento. La atención del relato está casi siempre cen-
trada en la desesperación que llevó al
suplicante a solicitar la intervención
divina. El lenguaje usado en el men-
saje es reverencial, casi majestuoso, a
pesar de estar escrito con errores gra-
maticales y de ortografía.

Puesto que el formato rara vez es
alterado, la originalidad de cada pieza reside fundamentalmente en la destreza del artista para aprovechar el
espacio o alcanzar un mayor grado
de detalle, así como en su capacidad
de asimilar ciertas tendencias y estilos artísticos. Algunos retableros, como también se conoce a los pintores

Exvoto dedicado a Nuestra Señora
del Patrocinio. s./ f.
Óleo sobre lámina. Col. particular.

de exvotos, entendían de sombreados, profundidad y perspectiva, incluso es notoria la instrucción académica que recibieron; pero hay otros cuyo instinto natural para el diseño, el color y el efecto dramático se identifica más con el estilo *naïf.* La perspectiva en estas pinturas es prácticamente inexistente o está mal entendida; los puntos de fuga son confusos y el tamaño de las figuras responde a una escala hierática. La proporción y la anatomía no siguen una convención realista; las figuras están dispuestas de tal forma que el drama pueda magnificarse o el milagro quede claramente representado. Libres de los dictados oficiales del mundo académico, miles de pintores de exvotos han creado, en los últimos 200 años, un género admirado por su libertad e ingenuidad, que ha servido de inspiración a varios artistas mexicanos del siglo XX. A veces resulta sorprendente el ingenioso modo en que son usados el diseño y la composición para lograr la descripción visual tanto de las penas terrenales como de la intervención divina. Anónimos casi todos, los retableros

reprimen su ego para que el exvoto se convierta en una auténtica aseveración de fe del donante.

Aunque hay exvotos que han sido pintados de antemano, con súplicas generalizadas o comunes y la imagen milagrosa local dispuesta en su lugar, simplemente esperando una inscripción para personalizarlos, muchos parecen haber sido esfuerzos de cooperación entre el pintor y el cliente. Entre ambos determinan el número de personas involucradas y los detalles exactos del incidente. Una vez satisfechos con la escena, el exvoto es llevado a la iglesia para ser presentado al lado de otros miles.

Muchas iglesias y santuarios de México son poseedores de una colección de exvotos. Las más importantes pueden encontrarse en la Basílica de Guadalupe, en la ciudad de México; en el santuario del Niño de Atocha, en Plateros, Zacatecas; y en la iglesia de la Purísima Concepción, en San Juan de los Lagos, Jalisco. Sin embargo, un número importante de ellos forma parte ya de colecciones privadas o del acervo de algún museo, simplemente porque su sobreabundancia hizo que algunos fueran vendidos o desechados por los mismos miembros del clero. Las vicisitudes que sufrieron los templos en México durante la Revolución, a principios del siglo XX, y el subsecuente cierre de iglesias durante la presidencia de Plutarco Elías Calles probablemente fueron las causas de la mayor dispersión de exvotos.

Aparte de ser un poderoso recordatorio de fe para la gente, el exvoto mexicano constituye un valioso documento social, histórico y artístico. De los últimos dos siglos en particular, nos permite vislumbrar una imagen bastante completa de hombres y mujeres: cómo se vestían, cómo eran sus casas y sus muebles, qué enfermedades los aquejaban, qué otras preo-

cupaciones tenían. Inadvertida por las crónicas (excepto por los reportes oficiales de gobierno, quizá), la gente común daba cuenta de su propia historia por medio de estas imágenes pintadas.

Tras examinar miles de exvotos a lo largo del país, se pueden establecer algunas constantes. En el siglo XIX varias enfermedades o males similares afectaron a una gran parte de la población. Recordando que algunas de estas aflicciones no eran diagnosticadas médicamente y más bien eran descritas por los pintores de los exvotos o por sus clientes, entre las enfermedades que padecían los niños se encontraban el sarampión, la tifoidea, la disentería y los cólicos. A las mujeres se les representaba embarazadas y en el momento del parto. Los hombres sufrían de fiebres y hemorragias. El cólera afectaba a todos, así como los resfriados, los ataques y las infecciones. Las víctimas son mostradas en la cama o en petates, algunas veces con los familiares agrupados alrededor suyo. El horror de las operaciones realizadas sobre las mesas en casas particulares es compartido por el espectador.

Además de enfermedades, los desastres naturales eran una fuente importante de inspiración para los exvotos: las inundaciones arrasaban con la gente y con el ganado; los terremotos dañaban los edificios y causaban heridas y defunciones en las personas. La vida rural era difícil, la gente de campo era amenazada ya fuera por

Exvoto dedicado al Santo
Niño de Atocha. 1959.
Óleo sobre lámina. Col. particular.

En la ciudad de México el sábado 17 de Mayo de 1902; estando trabajando Paulino Rodriguez (albañil) en una obra en construccion se desvió y se fué á fondo desde el tercer piso, en momento tan crítico invocó á nuestra Sr. de Guadalupe á la Santísima Trinidad quedando ileso: por mi lagro tan bale... dica esto una cornada de toro o una caída del caballo. El ganado corría peligro de perderse o de sufrir epidemias. Mucha gente era víctima de robos y de asaltos. Lo espaciado del detalle en cada composición y la ausencia de gente o de espectadores contribuyeron a transmitir la sensación de abandono vivida por los protagonistas y su necesidad de permanecer aferrados a creencias para así solucionar los problemas que los afligían.

Después de la agricultura, la actividad más peligrosa era la minería. En los exvotos los mineros son representados bajo suelo, ataviados tan sólo con pantalones enrollados y sombreros, en escenas que recuerdan un hormiguero.

Hombres, mujeres, y niños sufren toda clase de accidentes. Con emociones enaltecidas, pistolas y cuchillos hieren a hombres y a mujeres. Otras heridas son causadas por violencia doméstica. Los viajes están llenos de peligro por los animales salvajes, por las malas carreteras y por los bandidos. El agua representa un peligro no sólo en pozos e inundaciones, sino también por los accidentes que sufre la gente pescando o navegando.

En el siglo XX muchos de los mismos peligros persisten, aunque más sofisticados o, a veces, intensificados. Sin embargo, para los casos que la cirugía o la medicina no pueden aliviar, las fuerzas divinas son muchas veces el último recurso. Viajar continúa siendo arriesgado, pues los nuevos medios de transporte constituyen peligros potenciales.

El fenómeno de migración hacia el Norte ha inspirado otra categoría de exvotos. En ellos se agradece el haber salvado los peligros al cruzar la frontera México-Estados Unidos, así como resistir la subsecuente nostalgia de vivir en un ambiente extaño.

Hacia finales del siglo XX una cierta frivolidad comienza a filtrarse en los exvotos y nos sorprende ver agradecimientos por asuntos más mundanos: el triunfo de un partido de futbol *soccer*, o recibir algún certificado de mérito académico o profesional. Los estilos de estos nuevos exvotos muchas veces recuerdan los colores lisos y el delineado negro de los libros de *comics*. El deseo de realismo y la conveniencia muchas veces incitan a los individuos a ofrecer fotografías como sustitutos de los tradicionales milagros pintados.

Tanto en el siglo XIX como en el XX, la violencia creada por las guerras, las revoluciones y los levantamientos políticos es ampliamente representada. Los hombres son apresados por error, y se relata que ser colgado o fusilado es, frecuentemente, la única alternativa que se les ofrece. Su liberación del encarcelamiento, ya sea porque se escaparon o porque recibieron el perdón es, efectivamente, un milagro.

Al igual que un voyeurista, cuando observamos una serie de exvotos, estamos escudriñando los momentos más privados de la gente. Haciendo a un lado las evaluaciones que nos llevan a crear categorías temáticas, o analizar la estética del objeto, uno no puede dejar de verse afectado por ese número incontable de testimonios de fe. ⊕

Traducción de Edgar Arredondo.

Gloria Fraser Giffords. Maestra en historia del arte por la Universidad de Arizona, en Tucson. Es autora de *Mexican Folk Retablos* (Alburquerque, 1994) y de numerosos artículos sobre arte popular religioso de México. Para la revista *Artes de México* ha coordinado los números "Hojalata" y "La tarjeta postal".

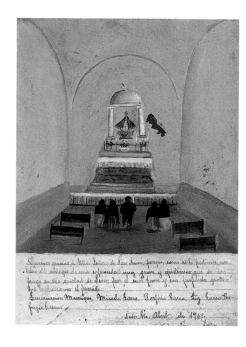

Exvoto dedicado a Nuestra Señora de San Juan de los Lagos. 1942.
Óleo sobre lámina. Col. Durand-Arias.

Página anterior:
Exvoto dedicado a la Santísima Trinidad y a la Virgen de Guadalupe. 1902.
Óleo sobre lámina.
Museo de la Basílica de Guadalupe.

Páginas 22 y 23:
Exvoto dedicado al Divino Señor. 1852.
Óleo sobre lámina. Col. particular.

En 1852, Atendolo á contido á Pablo Dorantes la
b dio tres tranchetaso al q dijo por muerta,
y dedica este

acia de haberse purdado con Miguel Abilês ...
...mijor intaco a est divino S.r le ... por ...
al Señor en acción de gracias.

ALIANZAS DE METAL

Milagros

ANTIGUOS ICONOS DE FE

MARTHA J. EGAN

Probablemente como ninguna otra

ofrenda votiva, las pequeñas piezas en

forma de brazos, piernas, corazones,

úteros, cuerpos completos de seres

vivos, plantas y pertenencias varias

han sido testimonio de la devoción del

ser humano. Desde la Grecia antigua

hasta nuestros días, los llamados "mi-

lagritos" han sido el vehículo para so-

licitar y agradecer, en su momento, el

cumplimiento divino ante una súplica.

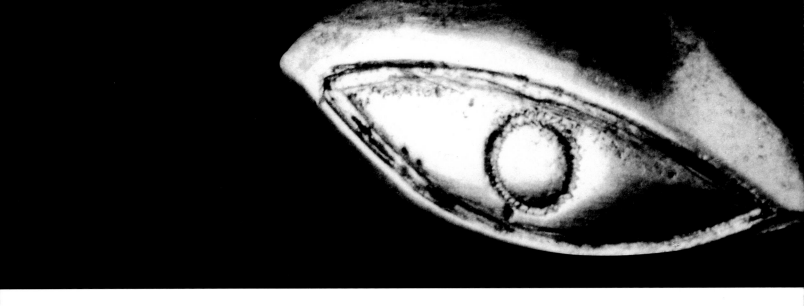

✝AN✝⊕ en México como en otras partes de América Latina, esas diminutas piezas votivas que representan partes del cuerpo, personas, animales, pertenencias, plantas, etcétera, son mejor conocidas como "milagros" o "milagritos". En el México contemporáneo, están hechos usualmente de una aleación de cobre y plomo con un baño de plata u oro; pero antiguamente se hacían a mano, de plata o de oro.

Poco se ha escrito acerca del ofrecimiento de milagros, una costumbre que aún perdura en México y que atrae, generalmente, la atención del folclorista, el turista y el artista contemporáneo. Quizá el empleo de los milagros fue tenido a lo largo de la historia por algo tan común, como otros tantos aspectos de la cultura popular, que rara vez eruditos y cronistas mencionaron esta costumbre. Las autoridades eclesiásticas, al observar la tradición de ofrendar exvotos por parte de los creyentes, invariablemente la desacreditaron, pues la consideraban una "superstición". Probablemente este malestar de la Iglesia frente a las ofrendas votivas se deba a que, tanto en el Nuevo como en el Viejo Mundo, el uso de los milagros y otros tipos de exvotos está vinculado a antiguos rituales de la era precristiana.

En América, la tradición de ofrendar exvotos tiene sus antecedentes en la época anterior a la Conquista. Los arqueólogos han encontrado ofrendas de efigies en lugares como los lagos sagrados de Colombia, los cenotes de la península de Yucatán, las guacas o túmulos sagrados de Perú, las pirámides de México y en las *kivas* o cámaras subterráneas ceremoniales de los indios del sudoeste norteamericano. Cieza de León afirma que Francisco Pizarro y su piloto, Bartolomé Ruiz, encontraron este tipo de ofrenda en una pequeña isla cerca de Puná, frente a la costa de Guayaquil, Ecuador. Según su crónica, "hallaron muchas piezas de oro y plata pequeñas, a manera de figura de manos, y de tetas de mujer, y cabezas..."

Desafortunadamente, y debido en gran medida a los tiempos turbulentos de la Conquista y a los esfuerzos por parte de la Iglesia para desarraigar las creencias y prácticas religiosas de los indígenas, se ha perdido mucha información acerca de cómo los nativos usaban estas ofrendas.

Todavía hoy, los indios zapotecas realizan un ritual prehispánico que

incluye diminutas ofrendas votivas. Tradicionalmente, cerca de Mitla, Oaxaca, la gente se reunía la víspera del Año Nuevo en cuevas ubicadas en las laderas de las montañas, para ofrecer fruta, velas y flores a sus dioses predilectos; antes de bajar a los campos más próximos, valiéndose de palos y piedras, moldeaban miniaturas que representaban sus peticiones: casas, corrales, campos de maíz, animales domésticos. Después, pasaban la noche custodiando sus ofrendas. Hoy en día, esta costumbre se ha cristianizado, y la víspera del Año Nuevo los suplicantes dejan notas y/u ofrendas de casas, muebles, animales y plantas, todo de plástico, en una capilla dominada por una enorme cruz: la Cruz del Pedimento.

Poco después de la Conquista se trajeron a México esclavos negros de África Occidental, quienes entre sus costumbres conservaban la del empleo de minúsculas piezas a manera de ofrendas para implorar y agradecer el amparo de seres sobrenaturales. Muchas de estas costumbres han sobrevivido en los rituales de santería y de candombe, en aquellas regiones de América Latina donde existe una notoria población negra y mulata. No obstante, el uso de los milagros

en México y en el resto de América Latina proviene más directamente de las tradiciones populares ibéricas que llegaron con los conquistadores. Estas ofrendas votivas tienen raíces ancestrales en la cuenca del Mediterráneo, desde el norte de África hasta el Medio Oriente, atravesando toda Europa Occidental hasta Escandinavia.

En Europa Occidental, las más antiguas ofrendas parecidas a los milagros se han hallado en Grecia, donde aún se utilizan exvotos, llamados actualmente *tamata*. En la antigüedad, los peregrinos de esta región viajaban, en busca de alguna cura, hasta los sitios dedicados a Asclepio, el dios griego de la medicina. En Corinto se halla uno de los principales templos consagrados a esta divinidad, donde los suplicantes dejaban piezas de terracota con forma de cabezas, orejas, senos, piernas, brazos y genitales masculinos, todas ellas en tamaño natural, que datan de los siglos V y IV a.C. Excavaciones hechas en Epidauro revelan un gran vestigio de ofrendas votivas hechas en oro, plata, hierro, arcilla y piedra. Los milagros mexicanos de la actualidad guardan cierto parecido con aquellas miniaturas griegas. Los suplicantes también ofrecían a Asclepio miniaturas de instru-

Página 24:
Milagros con formas humanas
provenientes de México, Perú, Ecuador y
Puerto Rico. s./ f. Plata. Col. particular.

Página 25:
Milagro en forma de pene. s./ f.
Plata. Altura: 3 cm.
Col. Vivián y Jaime Liébana, Lima, Perú.

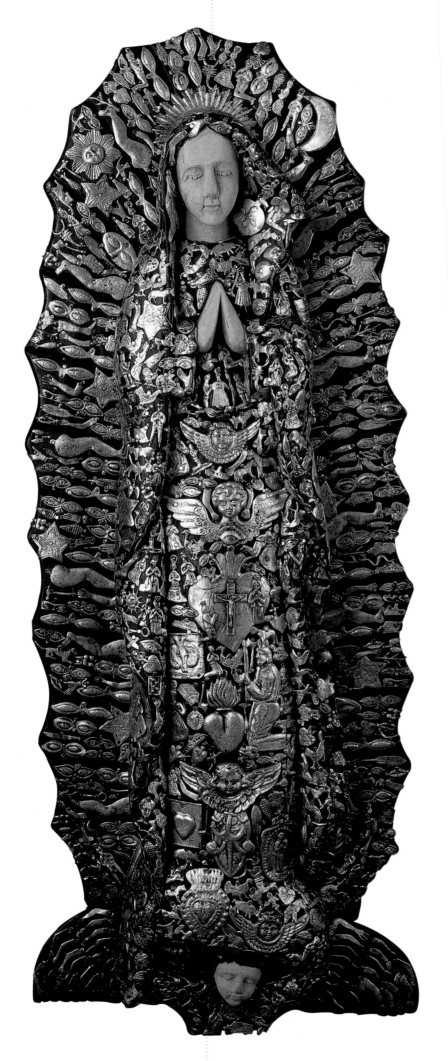

mentos quirúrgicos, pantuflas, almo-
hadas, botellas, abanicos y espejos,
cuyo significado apenas podemos con-
jeturar.

En otras partes del antiguo Mediterráneo también se ofrendaban ex-
votos. En Punta Falcone, Italia, ciertas
excavaciones han puesto al descu-
bierto efigies en bronce del periodo
etrusco. Éstas consisten en figuras de
seres humanos apuntando a ciertas
partes del cuerpo; los arqueólogos es-
peculan que están señalando la ubicación de una enfermedad. En otros
sitios etruscos —Vulci, Calvi y Cerve-
teri— se han encontrado piezas parecidas a los milagros, que representan
caballos, vacas, cerdos, manzanas,
granadas, uvas y partes del cuerpo
humano, incluyendo pies planos, piernas torcidas, una cabeza con dos heridas, entrañas, úteros y otros órga-
nos internos.

En tiempo de los romanos se llama-
ba *donaria* a las ofrendas votivas que
se utilizaban para implorar a las deidades. Dichas ofrendas incluían tanto placas que conmemoraban algún
milagro, como miniaturas de partes
del cuerpo hechas en plata, bronce o
terracota. En Nemi, Italia, los romanos
hacían peticiones a la diosa Diana
mediante efigies, a quien no sólo consideraban la patrona de la cacería, sino también de la fertilidad y de los
partos. Del mismo modo, era venera-
da en Nemi, Egeria, la ninfa de las
fuentes. Algunos ejemplares en terracota, que representan partes del
cuerpo, permiten sugerir que las aguas
de Egeria eran usadas para sanar a los
enfermos. En varios sitios ocupados
por los romanos en el territorio que actualmente corresponde a España, se
han encontrado ofrendas votivas en
forma de guirnaldas, candiles y cruces.

En lugares que se consideraban sagrados para los iberos (500-100 a.C.), los
arqueólogos han desenterrado exvo-

tos, algunos de bronce forjado, otros de bronce fundido. Entre las ofrendas votivas típicas del periodo ibérico están los escudos de contacto para jinetes, caballos, pequeñas figuras humanas con brazos alargados y partes del cuerpo como ojos, estómagos, piernas y brazos. El Museo Marés de Barcelona posee una bella colección de exvotos ibéricos.

En Europa, la diferencia fundamental entre las ofrendas votivas de la era precristiana y aquéllas de la era cristiana radica no en la forma de las mismas, la cual ha permanecido notablemente similar a lo largo de los siglos, sino en las prácticas en torno el empleo de las efigies. Se piensa que los pueblos de la cuenca del Mediterráneo, antes de la era cristiana, usaban miniaturas para implorar a las deidades que respondieran a sus plegarias. Más tarde, la Iglesia consideró esta práctica como una actitud atrevida por parte del creyente, como una suerte de soborno. No obstante la costumbre de las ofrendas votivas siguió arraigada entre la gente, y al clero no le quedó más que intentar convencer a los creyentes de utilizar los regalos *post factum* (es decir, en agradecimiento a Cristo, la Virgen o los santos una vez que fuera atendida una plegaria) y así conmemorar el "milagro".

En un intento por valorar la añeja afición del pueblo por ciertos lugares asociados a curaciones milagrosas (regularmente cuevas, manantiales de aguas termales, nacimientos de ríos, cimas de montañas y otros lugares de notable belleza natural), adonde se acudía habitualmente a suplicar a los dioses y dejar ofrendas, la Iglesia construyó templos cristianos en dichos sitios y los dedicó al culto de una imagen de la Virgen, de Cristo o de algún santo. El clero se valió considerablemente de esta práctica (conocida como sincretismo) en sus esfuerzos por

convertir a los indígenas de América al catolicismo.

Ya por tradición, los feligreses agradecidos colocaban sus ofrendas votivas junto a una imagen de su devoción, la cual era custodiada en un sitio de peregrinación, un santuario de los alrededores, una capilla rural o en un altar familiar. Los creyentes veían a los santos como poderosos intercesores ante Dios, y no como objetos de culto *per se*. Las ofrendas votivas que dejaban alrededor de una imagen sagrada servían para recordar al santo los deseos del suplicante y para agradecerle el haber escuchado las plegarias. Los recuerdos personales también podían ser prueba de la eficiencia del santo para llevar los ruegos del suplicante ante Dios. La abundancia de exvotos cerca de una imagen en particular atestiguaba que ésta era verdaderamente eficaz para responder a las plegarias.

El empleo de todo tipo de exvotos se extendió en Europa cristiana y tuvo su apogeo durante la Edad Media, época de gran proliferación de santos y de fe sencilla, regida por la Regla de Oro: "haz a otros lo que te gustaría que hicieran por ti". Con frecuencia, los exvotos en miniatura eran manufacturados en plata, hierro, terracota, cera, madera y otros materiales. Sin embargo, algunos fueron encomendados a los mejores artesanos del momento, quienes los transformaban en verdaderas joyas. Tanto de éstos como de los ordinarios quedan pocos vestigios. Los exvotos suntuosos a menudo terminaban en el crisol, dada la proclividad de la Iglesia a fundir objetos religiosos hechos de metales preciosos, después de cumplido un plazo perentorio.

La costumbre de emplear miniaturas como ofrendas votivas acompañó a los españoles hasta el Nuevo Mundo. Se dice que Cortés trajo pendien-

Imagen de la Virgen de Guadalupe con aplicaciones de milagros. s./f. Fresnillo, Zacatecas.

Página anterior:
Jaled Muyaes. Virgen de Guadalupe revestida de milagros. s./f.

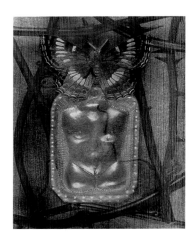

tes votivos de barcos y exvotos a bordo de su embarcación, cuando zarpó de Cuba para conquistar México.

Priscilla Muller, autora de *Jewels in Spain, 1500-1800* (*Joyas de España, 1500-1800*), no descarta que los europeos usaran como exvotos adornos pendientes zoomorfos labrados en oro y joyas realizados por artesanos nativos de América. Para los aztecas, las ranas simbolizaban la lluvia, en tanto que en Europa eran un símbolo de la resurrección y se usaban como amuletos contra el "mal de ojo"; es posible también que hayan sido invocados para protegerse de la peste. Los pendientes en forma de ranas cobraron mayor popularidad con la Conquista.

Los exvotos son mencionados sólo ocasionalmente en las crónicas posteriores a este periodo. Francisco de Florencia, cronista jesuita del siglo XVII, cuenta que, en 1692, Juan María Ignacio de Castorena y Goyeneche Villarreal y Ayala, fundador de la *Gaceta de México*, encomendó a un orfebre la elaboración de una garrapata de oro con un diamante, que el editor colgó posteriormente en el manto de la Virgen de San Juan de los Lagos, a quien le atribuía haber recuperado la audición que había perdido debido a una garrapata alojada en su oreja.

En *Zodiaco mariano* —la obra del padre Florencia sobre las imágenes marianas en México—, Juan Antonio de Oviedo, el cura que continuó y concluyó dicha obra, utiliza el término exvoto para referirse a pinturas votivas que conmemoran milagros, al igual que para las ofrendas de efigies en miniatura. De la Virgen del Refugio, instalada en Zacatecas en 1746, el autor testimonia que "se colocó la dicha sagrada imagen en el altar mayor de la iglesia de dicho colegio, y se halla toda rodeada de votos de plata, cuerpos, pies, cabe-

zas, que la devoción de los fieles le presenta en reconocimiento de los beneficios recibidos".

Es frecuente ver representados los exvotos en estampas y pinturas de la época colonial. Alrededor de 1615-1620, el belga Samuel Stradanus ilustra en un grabado en cobre los poderes curativos de la imagen de Nuestra Señora de Guadalupe, cuya sede era el milagroso manantial en el cerro del Tepeyac. En la estampa aparece una Guadalupe pintada al estilo flamenco rodeada de paneles de exvotos que revelan los milagros atribuidos a su intercesión; también aparecen algunos milagritos de cabezas, un brazo, una pierna y una mano arriba de ella, junto con lámparas votivas.

Un óleo poblano de Nuestro Señor de los Milagros, que está fechado entre mediados del siglo XVII y mediados del XVIII, muestra la imagen de Cristo crucificado, decorada con milagros.

En 1882 fue publicada en la ciudad de México una novena al "Milagrosísimo Niño de Nuestra Señora de Atocha", venerado en el Santuario de Plateros, en Fresnillo, Zacatecas. La publicación de esta novena fue hecha por la viuda de Murguía y sus hijos, y dirige el voto para otorgar a la imagen un milagro por cada uno de los nueve días, junto con "una jaculatoria y oración diaria diversa, y una oración a su Santísima Madre; para alcanzar por su medio lo que se solicita".

Hay iglesias en México que conservan alguna imagen tradicionalmente considerada milagrosa: el Doctor Jesús, en Tepeaca, Puebla; el Cristo Yacente, en Magdalena, Sonora; Nuestra Señora de San Juan de los Lagos, en Jalisco; Nuestra Señora de Ocotlán, en Tlaxcala, y muchas otras. La mayoría de estas iglesias fueron importantes centros ceremoniales y de peregrinación en la época prehispánica. En todos ellos se han hallado milagritos.

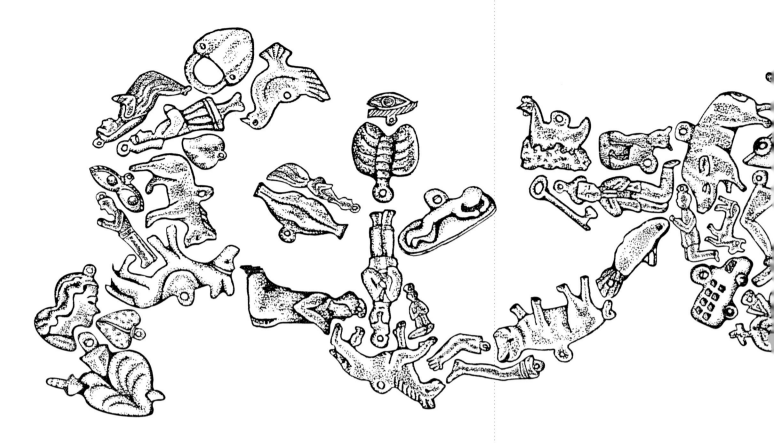

Algunas imágenes que residen en capillas aledañas, ermitas o altares familiares, a menudo, son receptáculos de milagritos y otras ofrendas votivas, ya que cualquier imagen de la Virgen, de Cristo o de algún santo puede ser eficaz frente las plegarias de un suplicante.

Los milagros forman parte de lo que el antropólogo Marion Oettinger Jr. denomina "comportamiento votivo", es decir, la manera en que un suplicante hace un pacto con un santo, prometiéndole realizar un ritual privado específico en agradecimiento por las plegarias escuchadas. Esta promesa, conocida también como "manda", puede implicar el compromiso por parte del suplicante de usar una medalla o ropa de penitencia en honor al santo, rezarle a diario, poner su nombre a un niño, hacer una donación de dinero, velas, joyas o artículos decorativos para su altar y, por supuesto, obsequiarle un milagrito. En muchos sitios de México, las danzas con máscaras son representaciones votivas.

Aquellos santos que no dan respuesta a las plegarias pueden llegar a ser objeto de castigos. Se suele voltear hacia la pared su imagen o enterrarla en un estercolero; de una imagen de san Antonio o de san José suelen sustraer el Niño Jesús, que sólo será restituido cuando el santo "ceda" y responda a la súplica. Según Yvonne Lange, no es extraño en Puerto Rico que los que pierden en la lotería, cuelguen de las vigas las imágenes de san Expedito —santo patrón de estos jugadores— cuando es fallo en dar números ganadores.

Las promesas son un asunto serio. El folclorista puertorriqueño Teodoro Vidal, autor de *Los milagros en plata de Puerto Rico*, cita una copla popular que advierte al creyente del peligro de no cumplir una promesa hecha a un santo: "Tuvo su castigo/ Pa' que recordara/ Que lo que se ofrece/ Se debe y se paga".

Si una persona muere antes o queda incapacitada para ejecutar una promesa, la tradición sostiene que la

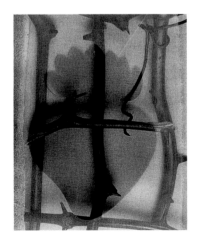

familia no está menos obligada a cumplirla. El voto de los creyentes se toma tan seriamente como una deuda financiera.

Es un suceso cotidiano encontrar en La Villa peregrinos cumpliendo sus promesas a la Virgen de Guadalupe: indígenas procedentes de un remoto pueblo, bailando con un traje tradicional o tocando una flauta ante el altar; mujeres arrastrándose de rodillas por el atrio; familias hincadas orando frente a la imagen de la Virgen, con ofrendas de flores y velas de regalo; suplicantes dejando milagritos que conmemoran una plegaria atendida.

No resulta extraño que hoy en día se honre el altar de una imagen popular y milagrosa con una amplia variedad de recuerdos personales, además de milagritos antes inéditos: pulseras de identificación de hospitales, fotos de seres queridos, muletas, diplomas, medallas de soldados, llaves, zapatitos de bebé y otros objetos de nuestro tiempo. En el milagroso ahuehuete, cercano al santuario de Nuestro Señor de Chalma, los suplicantes cuelgan todo tipo de ofrendas votivas, e incluso pueden verse pender de él, en bolsitas, cordones umbilicales en agradecimiento por un buen parto.

La abundancia de ofrendas votivas en los lugares de peregrinaje es un fiel testimonio de la arraigada popularidad de las promesas o "mandas" entre los católicos del mundo hispano. Existe un famoso milagro del siglo XX, una imagen en oro de un guerrillero ofrecida a la Virgen de la Caridad del Cobre, en Cuba, por Lina Ruz, madre de Fidel Castro, en supuesto agradecimiento por haber protegido a su hijo durante su lucha contra las tropas de Batista en la Sierra Maestra.

Los populosos peregrinajes a los santuarios continúan siendo un aspecto importante y vibrante de la vida católica en México, aun cuando éstos se realizaban ya desde épocas anteriores a la Conquista.

En México, los milagros como elemento decorativo son un fenómeno bastante propagado, lo que no suele ser tan frecuente en otras partes de América Latina. Especialmente en los sitios de peregrinaje más concurridos, los mantos de la Virgen, Cristo o algún santo están copiosamente decorados con bordados de hilo metálico. Para mayor precisión, el brocado se compone de numerosos milagros en oro y/o plata dispuestos sobre el manto como un modelo floral. Asimismo, en torno a las imágenes se han elaborado con milagros un sinfín de elementos decorativos.

El deslumbrante retablo que está en el altar de la Basílica de Nuestra Señora de Ocotlán, Tlaxcala, construida hacia finales del siglo XVII, está igualmente adornado con estas pequeñas piezas que dan testimonio de los poderes intercesores de la Virgen. Detrás de la imagen de 1.48 metros de alto, resguardada en una vitrina arriba del altar principal, podemos encontrar una estrella de cinco puntas compuesta de miles de milagros de oro y plata. La imagen está flanqueada además por urnas de flores igualmente compuesta de milagros. Debajo del nicho de la Virgen descansan cuatro placas flo-

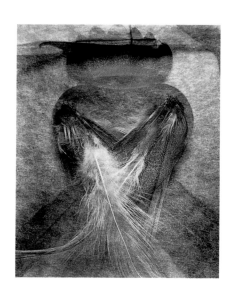

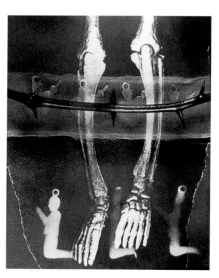

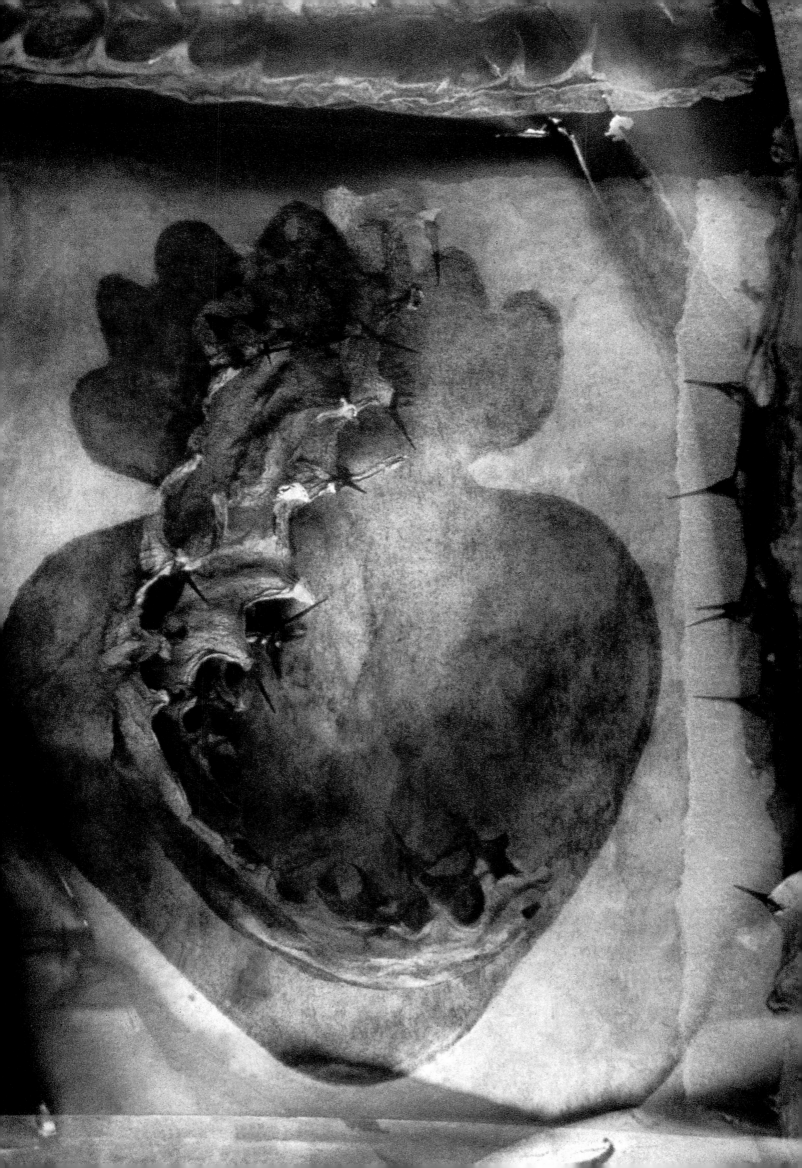

Nuestra Señora del Pilar, Zaragoza,
España, Siglo XVIII. Óleo sobre lino.
(Fotografía: Cortesía del San Antonio
Museum of Art, San Antonio, Texas.)

rales iguales encima del altar de plata, con sus caras frontales totalmente cubiertas con estas pequeñas piezas. El efecto visual es espléndido, sobre todo si recordamos que cada diminuto milagro representa una curación milagrosa o una plegaria atendida.

Los suplicantes consiguen sus milagros de diversas maneras. Antiguamente, se acostumbraba encargar a un platero local que manufacturara un milagro. De la promesa dada dependía muchas veces las características de peso y medida de un milagro. Por ejemplo: "un brazo de plata que cueste siete reales" podría haber sido ofrecido por un hombre con la esperanza de curarse un brazo roto. También se

soña pedir al platero que grabara las iniciales del donante en el producto terminado o un simple G.R. (gracias recibido) que equivalía a "gracias por el favor recibido". Algunos de estos milagros, realizados por encargo especial en láminas de plata u oro, o bien, plata u oro fundidos, eran grandes, vistosos y espléndidos. Entre éstos se hallaba un modelo a escala tridimensional de una hacienda, una efigie humana personalizada con la ropa bien detallada, una cama con alguien en ella, un insecto de tamaño y aspecto natural.

Con frecuencia los milagros evidenciaban la petición del suplicante. Así lo confirma el conocido caso de un milagro ecuatoriano donde figuran tres caballos, dos de ellos corriendo a cada lado de un tercero llamado Diamela y que les lleva la delantera; esta representación parece indicar que el suplicante pidió la intercesión celestial en una carrera de caballos, ganó su apuesta y agradeció a su santo con esta pieza especialmente creada. Mas en otras ocasiones, la petición es menos evidente. El milagro en forma de nube, de Baja California, parece ser una solicitud de lluvia, pero ¿quién lo puede asegurar? ¿Acaso un milagro representando un corazón significa que el suplicante estaba envuelto en algún amorío o, quizá, que este donante tenía problemas cardiacos? El significado exacto de un milagro, en estos casos, sólo lo conoce quien ha hecho la petición y, por supuesto, su santo.

Existen ejemplares únicos que son altamente valorados por los coleccionistas de arte popular, aunque son muy difíciles de encontrar, ya que generalmente estaban hechos con metales preciosos que la Iglesia después de un tiempo perentorio, como ya se ha dicho, los fundiría para darle otro uso al metal. En 1776, el padre Atana-

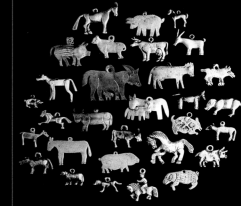

sio Domínguez relata en su inventario de las iglesias del norte de la Nueva España (actualmente Nuevo México) que el padre Olaeta, poco después de su llegada a Taos, informó al alcalde mayor que deseaba convertir las ofrendas en plata de su iglesia en un copón y vinajeras para el altar de la Virgen. Posteriormente, este sacerdote habría de enviar a Chihuahua medallas, cruces y estructuras de relicarios, todas en plata, con el mismo propósito.

En algunas ocasiones los sacristanes o los propios sacerdotes tan sólo vendían estos milagros finamente trabajados a los orfebres, y en muchos otros casos, llegaban primero a manos de coleccionistas en vez de seguir su camino al crisol.

Los milagros han sido, a través de los siglos, un producto típico de los talleres de orfebres en México. Incluso hoy en día los plateros y joyeros de pueblo deben de tener en existencia una variedad de milagros en las formas más solicitadas: cabezas, bebés, brazos, piernas, ojos, corazones. Estos milagros seguramente fueron cortados de láminas metálicas o fundidos en plata u otros metales. Los Cazares, familia de plateros en Pátzcuaro, a pesar de ser más conocidos por sus collares de coral y plata, han sido durante mucho tiempo una fuente provedora de milagros para la población local.

En ocasiones se ponen junto a los santos milagros hechos de otros materiales como cera, hueso, barro, tela, papel y madera. Los milagros de cera son muy populares en Cajititlán, en las afueras de Guadalajara, donde se rinde culto a los Reyes Magos. En el estado de Chiapas se encuentran milagros tallados en ámbar de la zona, mientras que en las áreas costeras de México, los hay de coral negro o de concha de tortuga. En épocas más recientes, los creyentes han utilizado como milagros las miniaturas de plástico, originalmente fabricadas como juguetes: un autobús, un camión, una vaca, un caballo, un bebé. Los milagros tradicionales hechos de una aleación de cobre y plomo han adquirido formas y temas contemporáneos: máquinas de coser, motocicletas, boletos de lotería, aviones, libros, radios, televisores, etcétera.

En México, así como en otros países de América Latina, las industrias caseras han abastecido el mercado con milagros fabricados en serie de plata, plomo, cobre, latón y otras aleaciones metálicas. Muchas veces estos milagros son cubiertos con un baño de plata o de oro para darles un aspecto más valioso. Los "milagritos" planos y de una sola cara, hechos en metal colado, que se pueden conseguir por todas partes, se conservan prácticamente sin variaciones en los últimos siglos.

El proceso tradicional para hacer estos "milagritos" es explicado por Jaled Muyaes, orfebre y coleccionista de arte popular, quien fue por años uno de los principales vendedores de artesanías en El Bazaar Sábado, ubicado en el barrio de San Ángel, de la ciudad de México. Algunos atribuyen a don Jaled la creación de las cruces incrustadas que han sido tan bien recibidas por los turistas durante las dos últimas décadas.

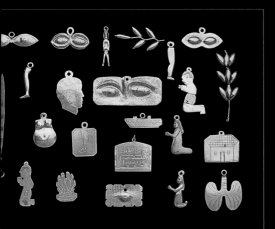

Arriba

Milagros con forma de animales provenientes de México, Perú, Guatemala y Ecuador. Ca. 1940.

Oro. Col. particular.

Abajo:

Milagros provenientes de Isla de Puná y Guayaquil, Ecuador. Ca. 1940.

Oro. Col. particular.

El procedimiento es el siguiente: se llena una caja rectangular con una pasta hecha de caolín (una arcilla blanca que se emplea en la fabricación de porcelana), arena fina y aceite usado para automóvil. Antiguamente, el elemento que ligaba era la goma o la resina de mezquite. Hoy día, los fabricantes de milagros usan, a veces, una pasta hecha de cemento y aceite de automóvil usado. Se suaviza la mezcla para que los milagros puedan comprimirse en ella y se obtenga una impronta de cada uno; después se sacan. Con una uña o cualquier utensilio, se dibuja un canal que conecte las improntas, de modo que al verter el metal derretido en la caja, fluyera de una a otra. Cuando el metal se enfría, se sacan los milagros de sus moldes, y algunas veces se les da un baño de plata o de oro. En la actualidad se utiliza el latón; anteriormente se derretían las monedas de plata para este uso.

Estos "milagritos" hechos casi en serie se pueden adquirir, por kilo o por pieza en puestos ubicados usualmente frente a las iglesias, donde se venden artículos religiosos; así como en tiendas de arte popular o en bazares de antigüedades.

Aunque los milagros son todavía utilizados de manera tradicional por gente de fe, también han sido adoptados para otras funciones. Al inicio de la década de 1970 y posiblemente antes, joyeros mexicanos como Chato Castillo, Eduardo Dagache y Graciela Cárdenas contribuyeron a popularizar su uso en joyería: incorporaron milagritos en sus piezas imitando los dijes de los tradicionales collares indios del sur de México y Guatemala. En Estados Unidos, los orfebres Benadette y Oscar Caraveo y Beverly Penn, entre otros, también incluyen milagros en su joyería. Algunos artistas contemporáneos de América Latina —Zaida del Río, en Cuba; Guiomar Mesa, en Bolivia; Lourdes Almeida, en México— y una multitud de artistas chicanos en Estados Unidos —Kathy Vargas, Cristina Cárdenas y Teresa Archuleta-Sagel, entre otros— usan estas pequeñas piezas como iconos culturales y puntos de referencia.

En Estados Unidos, los milagros han sido incorporados en el ámbito de la medicina y de las terapias curativas. En San Antonio, el nuevo Instituto de la Diabetes de Texas utiliza en sus materiales promocionales imágenes gráficas de milagros en forma de pies, corazón y ojos. En Connecticut, las artistas Ana Flores y Melinda Bridgman llevan a cabo talleres para ayudar a las personas a confrontar enfermedades graves; en ellos, los participantes confeccionan milagros en barro que representan el mal que los aqueja, y los cuelgan en pequeños relicarios o nichos.

Los nuevos contextos para los milagros demuestran la universalidad y atemporalidad de estos antiguos emblemas de fe. Aun cuando en muchas partes de América Latina se considere obsoleta la costumbre de ofrendar milagros, y muchos cristianos ortodoxos se mofen del uso de ofrendas votivas por considerarlo una práctica pagana y anticuada, hay quienes acogen los milagros como significativos y poderosos iconos de fe y de identidad cultural. ⊕

Traducción de Belkis Maldonado.

Martha J. Egan. Se ha especializado en el estudio y comercialización de arte popular latinoamericano y de antigüedades coloniales españolas. Entre sus publicaciones destacan *Milagros: Votive Offerings from the Americas* (1991); *Relicarios: Devotional Miniatures from the Americas* (1994) y la novela *Go Figure* (1997).

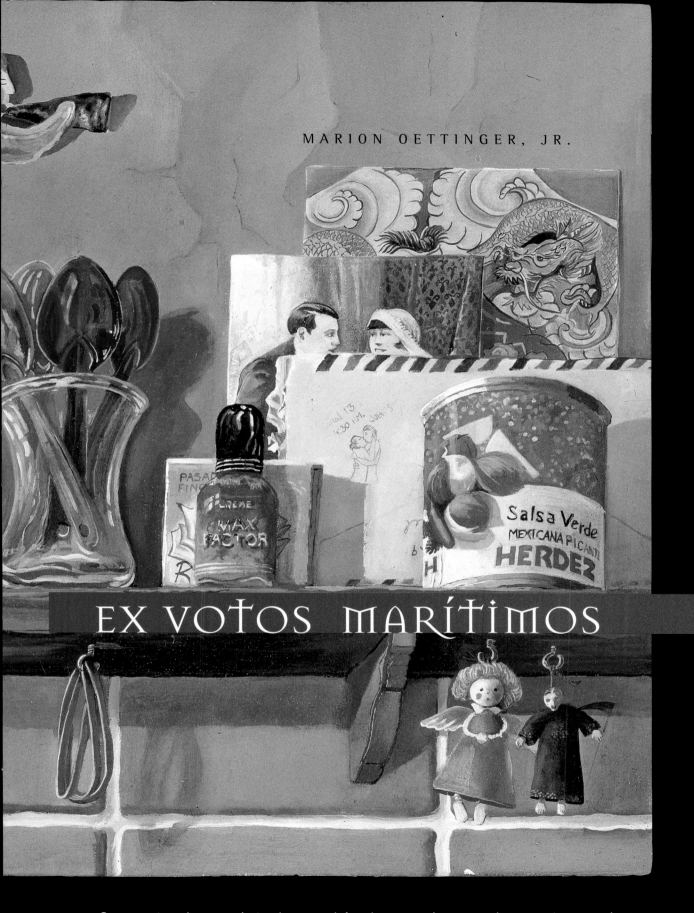

MARION OETTINGER, JR.

EX VOTOS MARÍTIMOS

Exvotos pintados, papel picado, peces labrados en madera o en plata, navíos a escala, tro

zos de velas, remos e, incluso, mástiles completos dan cuenta de la gratitud de marinos y

pescadores hacia sus intercesores por haber sido favorecidos en su lucha contra el mar.

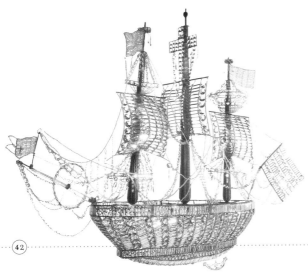

Candil en forma de carabela. 1788.

Cristal, madera y varios metales.

210 x 59 x 290 cm.

Col. Templo de San Francisco de Asís, San

Luis Potosí, S. L. P.

Páginas 40-41:

Elena Climent.

Repisa con exvoto. 1995.

Óleo sobre tela montada en un panel.

14.3 x 20.3 cm.

(Fotografía: cortesía de Mary-Anne

Martin/Fine Art, Nueva York.)

EN los siglos XV y XVI, el poderío del imperio español se manifestaba, en gran medida, en su dominio de los mares: su superioridad naval, el establecimiento y mantenimiento de importantes rutas comerciales y la explotación de los recursos marítimos. Pero la mar también estaba erizada de peligros: ataques de enemigos y piratas, tormentas y otros desastres. Un último recurso ante tales calamidades consistía, para el marinero, en invocar a los santos y demás miembros de la corte celestial que fueran capaces de realizar milagros.

Entre las demostraciones más interesantes pero menos conocidas de la expresión votiva está la asociada con la navegación. En muchos sitios de las costas iberoamericanas encontramos aún ermitas y santuarios adornados con pinturas y modelos de barcos ofrecidos por marinos y pescadores, unos en anticipación de riesgosos viajes, otros en agradecimiento por pescas abundantes o intervenciones milagrosas en momentos de peligro. En ciertas iglesias hay peces labrados a mano en plata o madera por los pescadores del lugar; otros navegantes han dejado trozos de velas o remos, restos de naufragios que les habrían costado la vida de no ser por alguna milagrosa intervención.

Entre los ejemplos más originales del arte votivo marítimo de la península ibérica se halla el santuario del siglo XVIII dedicado a Nuestra Señora de Vinyet, en Sitges, el simpático balneario a unos 30 minutos en tren hacia el sur de Barcelona. Por siglos, los pescadores, mercaderes, oficiales de marina y sus familias han dado gracias por favores recibidos y desastres evitados llevando a la Virgen ofrendas de barcos en miniatura como prueba visible de sus poderes de intercesión. Estos navíos —que suman alrededor de 25— son piezas trabajadas prolijamente, que a menudo informan con precisión sobre la arboladura, el tamaño y la forma de las velas e incluso los elementos decorativos. Los ejemplos más tempranos son del siglo XVIII; el más

reciente es un carguero de 1984. Otros importantes santuarios españoles con exvotos marítimos son Nuestra Señora del Barco (Mugía, Galicia) y San Juan de Gaztelugache (Bermeo, País Vasco). En el concurrido templo de Nuestra Señora de Barquera (San Vicente, Cantabria) está un barco votivo en primoroso detalle que, colgado del techo, saluda a los visitantes cuando entran por la puerta principal. Además, a ambos lados del tabernáculo, en el altar mayor, hay bajorrelieves en madera de pescadores ofreciendo a la Virgen pescados y mariscos. Por todo el templo, motivos y símbolos marítimos en las bancas, los reclinatorios y los techos recuerdan a los feligreses la importancia de este sagrado recinto para el bienestar de aquellos cuyas vidas giran en torno a la mar.

Algunos de esos barcos son ofrendas personales de pescadores o marineros, otros expresan la gratitud de toda la tripulación. El barco, exquisitamente tallado y dorado, que cuel-

ga en la Basílica de Guadalupe, en Extremadura, es una ofrenda de la Armada española.

El arte votivo marítimo es también común en América Latina, donde a menudo podemos encontrar ejemplos notables principalmente en poblaciones costeras del Perú, Venezuela, Brasil, México y los países caribeños. En México como en otros sitios, las ofrendas toman la forma de modelos de barcos en miniatura o testimonios pictóricos, con frecuencia acompañados de textos que señalan fechas, nombres de los agraciados y detalles de sucesos milagrosos. La mayoría están en iglesias de conocida vinculación con las actividades marítimas, y muchos se hallan suspendidos del techo o los muros alrededor de ciertas imágenes.

Todo indica que en el México colonial abundaban estas manifestaciones, pero son pocos los ejemplos que han llegado hasta nuestros días. En la iglesia de la Asunción (siglo XVI) de Tlacolula, Oaxaca, aún cuelga del barandal del coro un modelo de galeón español

Exvoto dedicado a la Virgen
de la Soledad. 1730.
Óleo sobre tela. 108 x 166 cm.
Col. Basílica de Nuestra Señora de
la Soledad. Oaxaca. Oax.

Traiiendo la Señora Rosa Torres una hija ausente, tubo la noticia de que su hija habia perecido en un buque que naufragó en el mar, y entonces acudió á la Santisima Virgen de San Juan pidiendole no fuera sierta la noticia, que le concediera la gracia de volver á ver á su hija, y habiendole concedido su petición, le dedica el presente retablo en acción de gracias por tan estupenda maravilla.   La Piedad Cabadas   1921

Exvoto dedicado a la Virgen de
San Juan de los Lagos. 1921.
Óleo y collage sobre lámina. 36 x 51 cm.
Col. Santuario de Nuestra Señora de San
Juan de los Lagos, Jalisco.

de la época virreinal, testimonio de gratitud por la milagrosa intervención del Señor de Tlacolula que favoreció la victoria española sobre bucaneros ingleses. Uno de los ejemplos más notables de arte votivo marítimo en México está justo al lado, cuesta arriba, de la Basílica de Guadalupe. Conocida como la Vela del Marino, esta representación casi de tamaño natural de una nave del periodo colonial se yergue sobre las multitudes que visitan a la patrona de México y da testimonio del poder de la Virgen morena para proteger las vidas de quienes confían en ella. Esta reconstrucción, que contiene el mástil auténtico, mide más de ocho metros de alto.

En el estado de Tabasco los pescadores agradecidos por haber sido salvados de accidentes marítimos y vecinos sobrevivientes de inundaciones y otros desastres también ofrecen exvotos en forma de barco. En San Fran-

cisco Tumulté, varias docenas de modelos de naves cuelgan del techo de la parroquia como testimonio de la milagrosa intervención del santo patrón. Son embarcaciones pesqueras, buques tanque y barcos del servicio postal con nombres como *El Siete Mares*, *Camaronero* y *El Correo de Tabasco*. La mayoría mide cerca de medio metro, están hechos de madera y representan en forma realista los navíos auténticos. Muchos tienen instalación eléctrica y luces rojas en el mástil o la proa. Otros llevan pequeñas figuras humanas de plástico atadas a la cubierta o colgando en forma precaria de una traviesa. La mayoría parecen datar de mediados del siglo XX. Ofrendas más recientes —de la década de 1980— incluyen un barco dentro de una botella hecho con un modelo comercial para armar, un pez tallado a mano en madera y marinas pintadas sobre terciopelo negro.

En el cercano pueblo de San Antonio Buenavista, cerca de la orilla del Grijalva, la modesta iglesia de factura moderna también tiene exvotos marítimos. Entre tiras de papel picado y flores de plástico se mecen, colgadas de las vigas, barcas pesqueras, de correos y otras naves que dan fe de los poderes de san Antonio para intervenir en momentos críticos. Algunos navíos llevan declaraciones escritas sobre los lados, como la que dice "Al señor san Antonio de Padua, promesa de la señora Rosa María Valencia".

Los exvotos marítimos mexicanos, cuyas raíces se remontan al arte popular de España pero que tienen un carácter totalmente propio, son hoy en día un ejemplo vibrante del arte surgido de la devoción popular. A través de ellos podemos comprender más claramente la vida espiritual de quienes se buscan el pan y la fortuna en el mar.

Además, nos ofrecen información valiosa sobre la construcción de los navíos, los instrumentos náuticos y el atuendo marinero antiguo y actual. También son una crónica emocionante, muchas veces dramática, de peripecias y peligros, y de cuáles son, ante éstos, las respuestas y reacciones de la cultura popular. ⊕

Traducción de María Palomar.

Marion Oettinger, Jr. Doctor en antropología por la Universidad de Carolina del Norte, se desempeña como curador general y curador de arte latinoamericano del Museo de Arte de San Antonio, Texas. Ha sido merecedor de varios reconocimientos y ha realizado, entre otras, investigaciones sobre arte popular de México y varios países de América Latina. Entre sus publicaciones destacan: *The Folk Art of Spain and the Americas: El Alma del Pueblo* (1997) y *Folk Treasures of Mexico: the Nelson Rockefeller Collection* (1990).

Exvoto dedicado a la Virgen de la Soledad de Santa Cruz. 1914.
Óleo sobre lámina. 25.4 x 34.7 cm.
Museo Nacional de las Intervenciones, CNCA-INAH.

ALIANZAS PLÁSTICAS

Los RETABLOS DE HERMENEGILDO BUST

JORGE DURAND

La mayoría de los retableros o pin-

tores de exvotos permaneció en el

anonimato. De don Hermenegildo

no sólo se tiene conocimiento de su

nombre y de su gran talento; a

través de este artículo también se

vuelve del dominio público su fasci-

nación por la religiosidad popular.

En el rancho de San Bernardo jurisdicion de Pma. del Rincon, asían 11 años que padecía, Don Buenaventura Marques, unas llagas: curado por varios medicos, ninguno pudo sanarlo...y el dia 8 de Octubre de 1888 se vió muy grave: y sin encontrar remedio en lo humano; se e̶n̶c̶o̶m̶e̶n̶d̶ó̶ a̶ MARIA SANTISIMA de Sn. Juan. y luego sintó alívio asta quedar sáno. Y en testimonio de eterna gratitud le dedicó el presente, a 2 de Febrero de 190_.

C⊕N la hechura del retablo, cuya cartela, según don Pascual Aceves Barajas, rezaba: "El día cinco de mayo de 1852, le acontenció a Dionicio Servantes que estando sirbiendo en una casa grande al tiempo de haber ido a darle de comer a un perro de la misma Casa lo arrebató a las mordidas y le dio catorce heridas. Esto sucedió en Silao", el pintor Hermenegildo Bustos inició, a los 20 años de edad, un largo camino en el arte de complacer los pedidos de devotos agradecidos que necesitaban cumplir una manda por algún favor recibido. A partir de ese momento y por más de 50 años, desde 1852 hasta 1906, un año antes de su muerte, don Hermenegildo pintó no menos de 70 retablos —exvotos— que los vecinos de los pueblos del Rincón de Guanajuato y algunas localidades más alejadas llevaron a colocar en iglesias y, por lo menos, en un santuario de Jalisco.

Sin lugar a dudas la obra más importante y mejor conocida de Bustos fue el retrato, género en el que fue maestro insuperable. Pero lo fue hasta tal punto que pudo derrochar su oficio incluso en trabajos considerados "menores", como los exvotos que forman parte indisoluble de su quehacer como retra-

tista. Quizá por ello sus retablos nunca han dejado de ser expuestos al lado de las pinturas que se consideran sus obras mayores.

A mediados del siglo XIX el exvoto vivió uno de sus momentos de mayor difusión y esplendor. De hecho, se había convertido en una práctica devocional generalizada en la región centro-occidental de México, sobre todo en los estados de Guanajuato, Jalisco, Zacatecas y San Luis Potosí. Allí, en espacios de vida todavía muy rurales, pero donde predominaba una población de origen hispano, de tradición criolla y mestiza, el retablo arraigó como una de las expresiones de religiosidad popular más socorridas. Don Hermenegildo y sus clientes no fueron inmunes a esa demanda social.

El primer cuadro que se conserva de Bustos, de 1850, está hecho sobre tela; el segundo, fechado dos años después, está pintado sobre lámina de hojalata. Durante las dos décadas que van de 1850 a 1870 el pintor rinconense alternó el uso de la tela y la lámina. Pero a partir de 1884 se hizo evidente su predilección por la lámina. No en vano el tren había conectado, en 1882, a la Estación San Francisquito, vecina a Purísima, con León, ciudad donde po-

Hermenegildo Bustos.
Exvoto dedicado a la Virgen de
San Juan de los Lagos por el señor
Buenaventura Marques. Ca. 1900.
Óleo sobre lámina. 18 x 13 cm.
Col. Durand-Arias.

Páginas 46-47:
Hermenegildo Bustos.
Exvoto dedicado a la Virgen de San Juan
de los Lagos por la señorita Gerarda
Mendosa. s./f.
Óleo sobre lámina. 18 x 13 cm.
Col. Durand-Arias. Detalles.

En Cuitceo de Abasolo, el 24 de Marzo de 1905, la Sra. Nazaria Bus de Sanchez, se enfermó de parto, y mucho antes, y en el acto... se encomendó A Mª Santisima de San Juan,, el salir bien..... y así sucedio. Y en testimonio de su eterna gratitud, y para aumento de devoción, le dedicó este retablo.

Hermenegildo Bustos.
Exvoto dedicado a la Virgen de San Juan
de los Lagos por Nazaria Bus de Sanchez.
1884. Óleo sobre lámina. 18 x 13 cm.
Col. Durand-Arias.

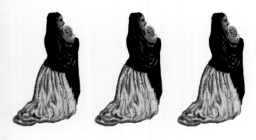

nera explícita al donante, es decir, al que rogó para que sucediera el milagro, que no siempre era el enfermo.

Aunque la trayectoria de Bustos como pintor se extiende en el tiempo —desde mediados del siglo XIX hasta la primera década del XX— su ámbito espacial fue restringido. Buena parte de los retablos están destinados a imágenes muy locales de la microrregión del Rincón: al Señor de la Columna, al Señor de Esquipulas y al Señor del Sacromonte, que se veneran en iglesias de Purísima del Rincón; a la Virgen de Guadalupe, que se conserva en la iglesia del barrio del mismo nombre en San Francisco del Rincón; y a la Santísima Virgen de la capilla de la hacienda El Comedero, en los Altos de Jalisco. Aparte de las iglesias de las cercanías, Bustos atendió la siempre abundante demanda de exvotos para la imagen del santuario más cercano e importante de su región: San Juan de los Lagos, en los Altos de Jalisco, asiento de una importante feria colonial y de la afamada Virgen, imagen a la que la gente de los estados de Guanajuato y Jalisco rinde una especial y arraigada devoción. De este modo, sus exvotos, en los que gusta identificar con absoluta precisión el lugar de origen del solicitante, constituyen un certero atlas de su prestigio regional como retablero. Además de los solicitantes de Purísima del Rincón, donde había nacido y vivía, recurrían a él fieles de la vecina ciudad de San Francisco del Rincón, a tres kilómetros de distancia. También lo buscaba gente de las rancherías y las haciendas cercanas: San Roque de Torres, los ranchos Ojo de Agua, San Bernardo, Mezquitillo, el Palenque, la estación de ferrocarril de Santiago, las haciendas El Comedero y El Tanque. Hasta ahora, un retablo de la "Villa de la Unión" en los Altos de Jalisco, uno de Silao, en el Bajío de Guanajua-

dían conseguirse casi todas las novedades industriales del país y del extranjero. En cuanto a los retablos, no hay excepciones. El material usado fue siempre el mismo: lámina de hojalata, cortada en alguna de dos dimensiones: 13 x 18 o bien 17.8 x 25.4 cm. Hoy afamados y cotizados, los retablos de Bustos, tuvieron un origen modesto, y estuvieron destinados a la gente humilde. Pero ello no los exime de ser profesionales. Los trabajos de Bustos tenían un precio, y los retablos pasaban a ocupar la categoría de encargos. Quizá por ello tienen una peculiaridad que los identifica y distingue: en el texto y en el dibujo se reconoce de ma-to, y otro de Cuitzeo de Abasolo (hoy Abasolo) en las cercanías de Pénjamo, Guanajuato, parecen haber sido encargados por clientes más lejanos.

Además del aspecto profesional, y seguramente también monetario, Bustos se debió de sentir especialmente atraído por este tipo de trabajo. No obstante de ser sacristán de la iglesia de Purísima, don Hermenegildo vivió fascinado por lo que hoy llamaríamos la religiosidad popular. Es bien conocida su participación en la celebración de la Semana Santa con una notable escenificación de la Pasión. El batallón farisaico, los soldados romanos y el Judas, que corre de manera incesante por el pueblo, se visten hasta la actualidad con los uniformes y máscaras diseñados por don Hermenegildo Bustos. La pintura de retablos formaba parte, sin duda, de esa práctica religiosa popular, independiente de la iglesia oficial. Al escuchar a doña Juana Robles que en 1902 estuvo afligida "por un fuerte pujo", al jabonero Pedro de la Rosa que desde hacía 27 años no encontraba "ningún alivio en lo humano", o a la niña Mercedes Calvillo que a la vuelta del siglo "duró cuatro meses enferma de deposiciones", don Hermenegildo se debe haber sentido a sus anchas, sin falsas o verdaderas modestias. Seguramente, después de prestar atención al relato, Bustos preguntaba y tomaba nota minuciosa del suceso milagroso y realizaba un apunte del rostro de su cliente. En los retablos no tenía por qué firmar su trabajo, ni decir que era pintor "aficionado", ni probarse a sí mismo. Tanto él, como la gente de su pueblo, y de la región entera sabían que podía retratar a cualquiera en cuestión de segundos. Después de un bosquejo del rostro hecho a lápiz y con cuidado —en varias obras todavía puede apreciarse el trazo original—, lo demás resultaba sencillo, casi mecánico.

En general, los retablos son más bien pequeños, y están confeccionados de manera vertical sobre un fondo pintado de color gris azulado. La composición sigue el patrón tradicional del exvoto pintado característico del mundo mediterráneo: la distribución espacial en tres campos. Uno, que corresponde a la imagen milagrosa; otro, donde aparece el donante del retablo en acción de gracias o bien una representación del acontecimiento y, finalmente, el texto donde se describe el suceso que dio lugar al milagro. Pero los de Bustos logran ser distintos. La calidad de los rostros y la composición del texto los hacen únicos e irrepetibles.

Hermenegildo Bustos.
Exvoto dedicado a la Virgen de San Juan
de los Lagos por Teodocia Crus. 1903.
Óleo sobre lámina. 18 x 13 cm.
Col. Durand-Arias.

En Febrero de 1884 Teodocia Crus, yendo á pie por el lejos camino á visitar á Mª Sma. de Sn. Juan de los Lagos, se cayo; y se le salió el hueso de una rodilla: la invoco; y se encomendó, y le prometio curarse con soquite del mismo pocito: luego que yegára, y 7 visitas, cada año una, y se lo consedió, y quedó sana por maraviya de la Sma. Virgen á quien dedicó el precente retablo.

En San Roque de Torrez, el 22 de Mayo de 1895. acontecío a Don Zeledonio Garcia, le dieron un balázo en un brazo: invocó á María Santísima de San Juan de los Lagos, y al poco tiempo sanó. Y en testimonio de eterna gratitud le dedicó el precente retablo.

En los exvotos de don Hermenegildo la imagen se sitúa invariablemente en la parte superior, sostenida por una nube blanca de bordes que se difuminan poco a poco. Pero la ubicación cambia: así, existen retablos con la imagen a la derecha, a la izquierda o al centro. La colocación forma parte de la composición: si hay dos personas en el retablo, la imagen suele ir al centro, porque de lo que se trata, en todos los casos, es de hacer muy evidente la mirada agradecida hacia la figura sagrada. El trabajo de la imagen es un ejercicio de miniaturismo, pero sin mayores variaciones. De hecho, la gente del Rincón reconoce la autenticidad de un retablo de Bustos con sólo ver la imagen.

El personaje o la representación del suceso milagroso ocupa la parte central superior. En la mayoría de los casos, Bustos recurre al retablo clásico de acción de gracias, donde el donante aparece arrodillado. Son escasos los exvotos en los que representa el suceso milagroso, debido seguramente a que él conocía su flanco débil: la perspectiva. Rara vez aventuraba una y tal vez por eso prefería pintar a los enfermos en el suelo antes que arriesgarse a las complicaciones de delinear un camastro. A cambio, nos ofrece rostros que son únicos y distintos, individuos identificables con facciones precisas y atributos específicos: tono de piel, barba, pelo, nariz, boca, frente, mirada y vestimenta.

De este modo es posible distinguir los rostros de origen indígena, de pómulos bien marcados, ojos rasgados, característicos de la gente de las tierras abajeñas de Guanajuato, de los hombres y mujeres blancos, rubios y barbados de los Altos de Jalisco; las dos vertientes raciales y culturales que confluyeron hasta fundirse en ese rincón abajeño. También puede distinguirse a los clientes por su vestimenta: desde los rancheros de huarache, calzón, "patío", paliacate y sombrero, hasta los personajes masculinos de traje, zapato, camisa blanca y corbatín y mujeres enjoyadas, que constatan la diferenciación social que existía en el mundo rural del porfiriato. Pero hay que decir también que los retratos y retablos de Bustos descubren la existencia de una sociedad donde se ha dado un mestizaje orgulloso que permite a la gente disfrutar con el hecho tanto de ser retratada como de ser vista.

La parte inferior del retablo está destinada al texto, donde se precisan fechas, nombres, lugares, advocaciones y el acontecimiento. Bustos solía iniciar los retablos como los corridos: "En la villa de Sn. Francisco del Rincón, en el mes de Febrero de 1890" o "En el mes de diciembre de 1900, la niña Mercedes". Don Hermenegildo, como se sabe, era un observador obsesivo. Así como llevaba el registro diario de la escarcha que recolectaba para hacer sus helados, en sus clientes exigía precisión en cuanto a su lugar de origen, al momento y el contexto del milagro, solicitaba una descripción minuciosa del padecimiento o el suceso: "le dio catorce heridas". Para él era tan importante el texto que si se daba cuenta, sobre la marcha, de que iba a faltarle espacio para concluir el relato, entonces comenzaba a reducir el tamaño de la letra para no interrumpir la descripción. De ese modo sus retablos están repletos de media centuria de infor-

En San Roque de Torrez, en el mes de Mayo de 1894 se enfermó Don Ysidro Chagolla de pulmonía, se vio muy grave; su aflijida hija Marselina, no hayando remedio en lo humano, se lo encomendó a María Santísima de San Juan, y en el acto: sinho alivio: hasta quedar sáno por maravilla de la Sma. Virgen. Y en prueva de eterna gratitud le dedicó el precente.

mación etnográfica sobre los pesares y alegrías de la gente de esa pequeña región.

Otra característica del texto es la manera de narrar. Se trata de una forma peculiar de presentar el hecho para conferirle dramatismo, acompañado de una pequeña dosis de humor. La puntuación, con una profusión de puntos suspensivos y dos puntos, busca reafirmar la angustia y la esperanza, mantener el suspenso. Así "En el rancho de ojo de agua, el 24 de Agosto de 1902 Don Sidronio Moreno, andando trabajando en la yunta, tropezó; y calló para atrás: resultó quebrado de la puentecita del lado izquierdo, le rebentó...llaga: el cirujano le sacó 7 astillas de huesitos: se vio grave [...] y en este tiempo su hermana no cesó de encomendarlo a Ma. Sma. de San Juan [...] quedando en poco tiempo perfectamente sano". En ese mismo año, en "Febrero 22 de 1902, en Pma. del Rincón, Don Francisco Martines calló preso: y como piedra en poso [...] y la de dos años ni quien ablara por el, pues era muy dilatada su prisión: su tía Blanca Martinez en todo este tiempo no cesó de encomendarlo a Ma. Sma. de San Juan [...] por lo que [...] cuando menos acordó se vio libre. Y para eterna memoria de gratitud [...] le dedico el presente".

La letra de don Hermenegildo varió con el tiempo: de manuscrita pasó a ser letra de molde. Pero el cambio fue lento e incluso a veces se perciben dos tipos de letra en un mismo texto. La falta de consistencia puede expli-

En la Ciudad de Sn.
Don Arilano Reyes, sufrió
endole el costado superfic
cargarle mas tiros, más, el
de San Juan, y lo dejo li
Y en prueba de su eterna

carse, en parte, porque el autor utilizaba el pincel para escribir. El cambio, según Raquel Tibol, puede apreciarse de manera nítida en dos de los retablos-retratos más espectaculares que se conservan: el de Zenón Parra fechado en 1858 y el de María Eduarda González de 1865. A partir de este último retablo, Bustos utilizó siempre letra de molde.

Donde no hay cambio es en la estructura formal del exvoto. Bustos respetó, de principio a fin, los cánones del exvoto pintado de origen europeo. Es más, sin saberlo ni pretenderlo, don Hermenegildo se inscribió en la tradición más antigua e ilustre del exvoto pintado: los cuadros de donantes, obras que se solicitaban a los maestros donde el cliente debía ser retratado con la mayor fidelidad. Los retablos de Bustos son retratos en miniatura de donantes pero en su caso, de gente humilde de su región: enfermos de llaga, fríos, pujo y pulmonía; locos y encarcelados; gente mordida por perros del mal, accidentados y descalabrados; mujeres con ansia y preñez; heridos de bala y cuchillo. Gente que tuvo la gracia no sólo de haberse recuperado de males y pesares sino además la suerte de haber sido modelo del más humilde e ilustre retratista mexicano.

Jorge Durand. Antropólogo social y geógrafo. Especialista en la migración México-Estados Unidos. Entre sus publicaciones se puede mencionar *Doy Gracias* (1990), *Miracles on the Border* (1995), *La experiencia migrante. Iconografía de la migración México-Estados Unidos* (2000).

Hermenegildo Bustos.
Exvoto dedicado a la Virgen de San Juan
de los Lagos por Atilano Reyes. 1905.
Óleo sobre lámina. 18 x 13 cm.
Col. Durand-Arias.

Revolucionados

PATRICIA ARIAS Y JORGE DURAND

Este artículo gira en torno a las ofrendas de esos devotos agradecidos que, más que

participantes convencidos de las diversas revoluciones que ha vivido México —ésos

serían los revolucionarios—, fueron las víctimas de los acontecimientos infinitos e im-

previsibles de las contiendas, y a quienes don Luis González llama "los revolucionados".

En el mes de Agosto de 1857 hallandose Trinidad Hernandez enfermo de una fuerte fiebre de la q.
no daba esperanza ninguna, por mas empeños que se isiero___ la medicina no conseguia alivio
ninguno pero su esposa en union de su familia, lo m_____ al Sr de la misericordia, y desde
luego comenso ablarar, y __ desaparecer la fiebre hasta q____ fuera de peligro.

GRACIAS AL SR. DE LA MISERICORDIA POR HABERLO LIBRADO DE MORIR CRIVILLADO A BALAZOS.
J.J.

mediados del siglo XIX un nuevo tema irrumpió en el universo temático del exvoto: la violencia social. No era para menos. La turbulencia política que asoló y dividió al país le dio a la gente un nuevo y poderoso motivo para estar con el alma en un hilo, tanto o más que las enfermedades y los accidentes innumerables de personas y animales, los asuntos tradicionales de la expresión votiva colonial. La violencia que devastaba sobre todo el mundo rural, que era donde vivía la mayor parte de la población, se expresó de manera extraordinaria y abundante en el exvoto de las décadas de 1850 a 1870, particularmente en la zona de los Altos de Jalisco, donde se encuentra la iglesia del Señor de la Misericordia —santuario que alberga un gran parte de ellos—, y se refirió a tres asuntos que se volvieron cruciales para la población. En primer lugar, hacían referencia al enrolamiento de hombres, sobre todo jóvenes, para el ejército o alguna facción en armas. La leva que separaba de padres, cónyuges e hijos se convirtió en un detonador inmediato de la angustia femenina, en ocasiones también de los padres del au-

sente. En sociedades donde la gente se movía en espacios restringidos, cualquier traslado, forzado o voluntario, podía convertirse en un viaje a la incertidumbre, aunque en realidad no se los llevaran tan lejos. Así sucedió en Tepatitlán "En el mes de dbre. de 1858 [...] a [...] Luz García [que] se incorporó con los federales" que de inmediato lo desplazaron hasta Silao, hasta donde llegó a buscarlo su madre después de más de un año de ausencia. Poco después, en esa misma región de Jalisco "En 3 de diciembre de 1861 [...] agruparon para soldado [a Valentín Mondragón...] y su señora madre se lo encomendó al Señor de la Misericordia y vino sin novedad". Madres, padres y esposas, angustiados por la ausencia, cuando no desamparados, sufrían por el temor adicional de que su pariente sufriera algún percance en los avatares militares a los que estaba irremediablemente expuesto en su calidad de soldado. Así lo dijo una esposa recordando que "En el mes de agosto de 1860, habiendo sido reclutado por los federales Albino Sánchez, en el que se vio en varias peripecias de la guerra sin poder separarse del cuartel, pero su esposa aclamó al Sr. de la Misericordia y tuvo la fortuna de quedar en libertad". En segundo lugar, trataban de la inestabilidad social que había sido caldo de cultivo para la proliferación de diversas especies de bandidos, gavillas, salteadores, secuestradores que con sus andanzas y tropelías convertían en riesgosa cualquier travesía por caminos y veredas. "El 24 de agosto de 1867 aconteció al C. Trinidad Macías en compañía de la niña Inés Macías y la señora Esmerejilda Villalobos ser asaltados viniendo del puerto del Chilarillo nos dieron los bandidos una descarga de once tiros sin haber recibido ningún daño bajo la intercesión de María Santísima de San Juan a quien invocó la señora [...] con veras de su corazón". Finalmente, en el exvoto,

sobre todo masculino, el sobreviviente mismo agradecería por haber salido bien librado de alguna batalla o peripecia de la vida militar. Gloria Giffords ha rescatado dos láminas ejemplares. Una, la del soldado Lucas Hernández que en 1864 logró sobrevivir, aunque resultó herido y huyó, de un enfrentamiento entre las tropas francesas y "la fuerza de Aguascalientes". La otra es la del capitán don Pánfilo Robledo que, gracias a la intercesión del Señor del Sacromonte, pudo salir bien librado de un Consejo de Guerra. Por lo regular, esta temática votiva tiende a reiterar el discurso de los revolucionados. Sin embargo, existe un exvoto, realmente único, que pone en evidencia el conocimiento de la gente acerca de lo que debatían los diferentes bandos y que ésta tomaba partido aunque estuviera alejada de las grandes contiendas. El retablo en cuestión llama aún más la atención porque sus protagonistas

son mujeres. En 1859, doña Lugarda Banegas y su madre llevaron al Señor de la Misericordia un retablo en el que le contaban que se habían negado a seguir al marido de Lugarda que formaba parte de una gavilla que merodeaba por la región porque ellas eran "sabedoras del partido que traía y que a ellas no les convenía ese partido". La profusión, relativa desde luego, de retablos que dan cuenta de la violencia social de mediados del siglo XIX contrasta con la escasez de material votivo en los santuarios para otros dos momentos claves de la historia social del siglo XX: la Revolución de 1910 y la guerra cristera (1926-1929), cuyo epicentro fue, precisamente, el occidente del país, la región históricamente más prolífera en cuanto a la producción de exvoto pintado. Hasta la fecha, en los santuarios e iglesias estudiados sólo hemos encontrado dos exvotos que corresponden al tiempo de la Revolución mexicana, ambos dedicados a la Virgen de Guadalupe, en la ciudad de México. Uno se refiere, de manera explícita, a una acción de guerra: "Marina Sánchez y Félix Uribe dedican este retablo a la Santísima Virgen de Guadalupe que los salvó cuando fueron hechos prisioneros por las tropas del Gral. Obregón". El otro, por la fecha y el nombre del superior, se sabe que es de la época revolucionaria, aunque se trata más bien de un episodio de carácter disciplinario dentro de un mismo bando. En 1915 doña María Montaño de V. dijo que "A mi hijo José [...] fue militar en México le aconteció que por cosa insignificante se violentó con enojo su superior [...] el general Reyes y lo sentenció a ser preso en Yucatán; sin ninguna detención fue llevado en el tren en compañía de otros oficiales y sin esperanza de ser libre; pero yo con todo mi corazón le pedí a María Santísima de Guadalupe me concediera fuera puesto en libertad

Doy Gracias

al Señor de la Misericordia (61)

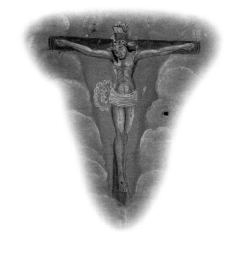

y milagrosamente fue [...] a los tres días volvió a México y quedó libre. En testimonio de mi gratitud presento este retablo". La carencia de este tipo de retablos puede tener, en parte al menos, una explicación sencilla. En el mundo del coleccionismo, los exvotos de tema social y político, en especial los que reconstruyen gráficamente el suceso, tienen un alto valor agregado, lo que puede haber fomentado su rápida desaparición de los santuarios para reaparecer, poco después, en galerías y muros privados. La relativa abundancia de retablos de este tipo que suele encontrarse en exhibiciones y publicaciones es buen testimonio de lo dicho. Otra razón puede ser, sobre todo para el caso de la Cristiada, que en el ambiente revuelto de ese tiempo la gente no se animara a ir a ofrecer retablos para agradecer proezas y milagros que desataran las iras de los federales que peinaban los poblados levantados en busca de rebeldes. O quizá lo hacían de manera sutil. En Tepatitlán, centro de una intensa actividad militar en la época de la Cristiada, existe un exvoto, sin fecha ni lugar de procedencia, en el que una mujer que sólo se identificó con dos iniciales —J.J.— fue a

Tepatitlán a dar "Gracias al Sr. de la Misericordia por haberlo librado de morir acribillado a balazos". La gráfica muestra a un hombre que, por la vestimenta, da la impresión de ser un "levantado" o revolucionario. De otro, dedicado al Señor de Chalma, fechado en 1929, podría decirse que quizá tenga que ver con la ola bélica desatada por la Cristiada. Allí, se decía que "El día 22 de abril de 1929 se encontraba preso se encomendó al Sr. de Chalma quedando libre dedica este en acción de gracias". Como quiera, el impacto de ambas guerras quedó plasmado, de manera indirecta si se quiere, en otras dos modalidades de exvotos: por una parte, los que se refieren a accidentes de tren, —el flamante medio de transporte que dinamizó el porfiriato y sirvió para movilizar las fuerzas que lo destruyeron— donde es evidente que la desgracia tuvo que ver con alguna acción militar o bélica. La región centro-occidente del país, sin duda la mejor dotada de comunicación ferroviaria, fue testigo no sólo del paso incesante de tropas, de movimientos de embarque, desembarco y retirada, sino además de descarrilamientos y

asaltos ferroviarios tan espectacula-res como dramáticos. En 1920, un ex-voto da cuenta de las tribulaciones de los pasajeros de un tren que fue descarrilado en las cercanías de San Juan de los Lagos, Jalisco "por los revolucionarios de uno y otro parti-do". En aquellos que tratan de la recu-peración de alguna enfermedad, como la temible gripe española, se dice que la revolución misma azotaba a una po-blación diezmada por años de violen-cia, miedo, hambre, sobre todo ham-bre. Así no resulta extraño que "En el año de 1918 en el mes de octubre épo-ca en que asoló la terrible peste de la influenza varios puntos de la Repú-blica se encontró la familia Machu-ca [...] por la misma enfermedad [...] se encomendó a N.S. de San Juan prometiéndole el presente retablo si le concedía su salud [...] Jaral de Be-rrio, diciembre de 1918". Resabios de violencia social pueden encontrarse en retablos de la década de 1940: re-torno de "prisioneros de los soldados federales"; por haber logrado escapar de una condena "a pena de muerte"; la tropelía de algún soldado solitario que se había convertido en asaltan-te. Pero cada vez menos. A partir de ese momento, los motivos del exvo-to volvieron a ser, en parte, los tra-dicionales de enfermedad y acciden-tes; pero empezaron a reflejar, cada vez más, las nuevas e infinitas an-gustias de la gente del campo que comenzó a dejar de ser rural: las pe-nurias inacabables de la travesía y el trabajo de los que se iban a trabajar a los campos de Texas y California en Estados Unidos; los problemas de salud, accidentes de tráfico y trabajo que empezaron a aquejar a quienes se fueron a las que muy pronto se convirtieron en las grandes ciudades de México: motivos, todos, para es-tar tristes y preocupados, pero tam-bién para ser optimistas y agradeci-dos con esas imágenes —férreamente enclavadas en el mundo rural que es donde mejor permanece arraigada la tradición votiva— que han acompa-ñado, por siglos, las angustias cam-biantes de los mexicanos. ⊕

Patricia Arias. Antropóloga social y geógrafa. Estudia temas relacionados con mujer y trabajo, como se puede leer en su libro *La aguja y el surco* (1997).

Jorge Durand. Véase pág. 55.

Exvoto dedicado al Señor de la Misericordia por María Lugarda Banegas y su madre María Dolores Serbantes. 1857. Óleo sobre lámina. Museo del Santuario del Señor de la Misericordia. Tepatitlán, Jalisco. Detalles.

PALABRAS, IMÁGENES Y SILENCIOS:

EL EXVOTO FEMENINO

PATRICIA ARIAS

Las mujeres mexicanas pocas ve-

ces han tenido la oportunidad de

difundir su punto de vista res-

pecto de la historia. Los exvotos

por ellas ofrecidos nos presen-

tan una mirada íntima y sincera.

A LA SRA. ENCARNACIÓN RAMIR
ES L EN CON MEDO ESTE CERD.O A LA
VIRGEN DE SAN JUAN DE LOS
LAGOS POR A BERCELA ALI.BIADO
DEL RANCHO DEL PAISTE
MUNICIPIO DE SILAO. GTO.

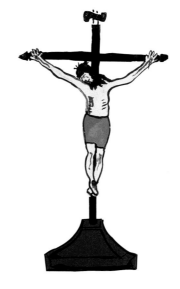

C⊕NFUNDIDA

y apretujada entre muchas mujeres como ella, doña Eustolia ingresó al camarín de la Virgen de San Juan de los Lagos como se lo había prometido, un día de comienzos de febrero, cuando se celebra la fiesta de la Candelaria. Allí, dedicó un buen tiempo a mirar y leer, hasta conmoverse con los asombrosos milagros de los que daban cuenta exvotos y "milagritos", fotografías y micas, certificados y prótesis. Al final del recorrido, abrió su bolsa de mandado y sacó un pequeño exvoto pintado que colocó en el lugar que había escogido: un espacio que le pareció bien situado, luminoso y visible. Agradecida y contenta salió del camarín, se reunió con su esposo para asistir a misa en la Basílica, comieron en alguna de las coloridas y olorosas fondas de la plaza, compraron dulces y recuerdos de la virgen para vecinos y parientes y se dirigieron a la terminal a tomar el autobús que los llevó de regreso a la colonia donde viven en Guadalajara. El motivo del exvoto de doña Eustolia era absolutamente moderno y urbano; sus gestos, centenarios.

Y es que desde el más remoto tiempo colonial las mujeres han aprendido a acudir a santuarios y a recurrir al lenguaje del exvoto para pedir favores y agradecer "milagros" que, antes como ahora, les han ayudado a mitigar temores, desencuentros, ausencias y precariedades de toda índole. En verdad, la devoción a una determinada imagen puede ser vista como una forma de herencia que transita de una generación a la siguiente: "que mi madre me había encomendado, según me lo dijo ella". Casi podría decirse que el exvoto ha sido un espacio privilegiado de la cultura para la expresión de los sentimientos, pesares y anhelos femeninos.

Los motivos del exvoto femenino registran, por supuesto, variaciones de acuerdo con las diversas tradiciones y transiciones regionales que nutren la devoción de cada santuario y han cambiado mucho a través del tiempo. Con todo, se conservan como una expresión íntima y sincera de las preocupaciones femeninas a través de la historia, siempre y cuando se acepte también que se trata de una historia codificada, es decir, donde hay asuntos de los que las mujeres han podido y querido hablar siempre, aunque

Página anterior:
Exvoto dedicado a la Virgen de
San Juan de los Lagos
por Encarnación Ramírez. s./ f.
Óleo sobre lámina. Col. Arias-Durand.

Página 65:
Maestro Ibáñez. Exvoto dedicado al Señor
de la Misericordia. s./ f.
Óleo sobre lámina.
Museo del Santuario de la Misericordia,
Tepatitlán, Jalisco. Detalle.

haya omitido otros, que son los silencios cambiantes de la cultura. De cualquier modo, imágenes y omisiones se han encargado de mostrar más de lo que ellas han podido expresar con palabras.

Lo que sin duda aparece como una constante que recorre el tiempo y atraviesa los santuarios es la preocupación de las mujeres por el bienestar de otros referido, en primer lugar, a dos categorías de hombres de su ámbito familiar más cercano. La principal forma que asume esa preocupación es la de la madre por el hijo varón. Las mujeres se preocupan por sus hijos desde niños, cuando se enferman, se pierden o se accidentan, pero sobre todo cuando son mayores y se van de la casa, incluso desde el momento mismo en que salen: "se fue al norte su hijo de la señora Merejilda Barreto. Quien lo encomendó al Señor de los Milagros que por su intercesión no le suceda nada". Los motivos de las madres tienen que ver sobre todo con cinco escenarios asociados a los peligros que acechan a sus hijos fuera del hogar: el desplazamiento o migración hacia cualquier

parte, situación que, se sabe, puede dar lugar a ausencias prolongadas y silencios que se vuelven insoportables. Como los que padeció doña Macedonia Nava cuando, el 8 mayo de 1915, perdió a su hijo que tardó seis larguísimos años en reportarse con ella desde Sonora. No debe haber sido menor la angustia, pero también la alegría, de doña Josefina Hernández cuando le fueron "devolvidos" sus hijos "que andaban perdidos en el vicio", es decir, cuando dejaron de beber, otro motivo recurrente de la angustia materna. Las madres eluden manifestar juicio alguno respecto a los desatinos que han llevado a sus hijos a la cárcel, lo importante para ellas es que les hayan reducido las penas o que hayan podido salir de la prisión. Para doña Tomasa Medina fue motivo de un exvoto que le rebajaran de cinco años a un mes y medio la condena que purgaba su hijo Jesús en la cárcel de Pino, Zacatecas.

Otro tema reiterado de desdicha femenina es la unión desafortunada del hijo con alguna mujer inconveniente, situación que, desde el punto de vista materno, sólo se resuelve con la sepa-

ración. Doña Esperanza Carreón quedó infinitamente agradecida al Señor de la Conquista cuando su hijo José se apartó, por fin, "de una mujer de mal vivir que lo estaba perjudicando". Con todo, las preocupaciones maternales más constantes han sido los imponderables que se convierten en desgracias y accidentes. En el siglo pasado ellas vivían con el alma en un hilo debido a esos reclutamientos forzosos "de los federales" que en un abrir y cerrar de ojos se llevaban a los hijos lejos de su tierra. Eso le sucedió el 3 de diciembre de 1861 a Balentín Modrigón, cuando "lo agruparon para soldado y su señora madre se lo encomendó al Sr. de la Misericordia y vino sin novedad". Los problemas y accidentes que surgen de los conflictos y tensiones sociales han estado presentes en el exvoto desde el siglo pasado, cuando la violencia formaba parte de la vida rural; la Revolución de 1910 generalizó esta angustia hasta hacer que las madres dieran gracias por "haberlo librado de morir acribillado a balazos", o dar lugar a situaciones como la que vivió en 1968 doña María del Refugio Castro cuando hirieron de cuatro balazos a su hijo al intentar cruzar el río Bravo en Ciudad Juárez.

En los accidentes personales se descubre con nitidez la transición de los percances —y exvotos— de tema rural a los del mundo urbano, como puede verse sobre todo en el santuario del Señor de Chalma, cercano a la ciudad de México, destino irremediable de las primeras grandes migraciones internas. Hasta los años cuarenta era frecuente que los retablos se refirieran a accidentes debidos a caídas de carretas y carros, de animales que "arrastran", "hacen caer", "machucan" y "tumban"; a partir de la siguiente década, cuando el tráfico en las ciudades

y las carreteras era todavía una peligrosa novedad, comenzaron a aparecer las y los atropellados por tranvías, automóviles, autobuses y camiones urbanos y foráneos, así como los accidentes estrepitosos en carreteras de Estados Unidos, y en el metro de la ciudad de México.

Esa intensa y persistente preocupación de la madre por el bienestar de los varones que ha procreado no tiene contraparte: son escasísimos los hijos que piden o agradecen por ellas. Su interés puede aparecer entremezclado, si se le quiere ver así, en el exvoto familiar, modalidad de ofrenda que, de cualquier modo, es mucho menos frecuente. El exvoto masculino es, en primer lugar, personal y, de manera muy secundaria, por la esposa y los hijos.

A las mujeres les preocupa, en segundo término, la suerte de su pareja, pero a partir del momento en que existe una vida en común. En verdad, son pocos, muy pocos, los exvotos que aluden a la relación previa. Una excepción, contemporánea, es Carmen Soto que agradece el milagro

Exvoto dedicado a la Virgen de Talpa por Victoriana González. 1953.
Óleo sobre lámina. Col. Durand-Arias.

*Exvoto dedicado a la Virgen de
San Juan de los Lagos por la señora
Andrea Morales. 1851.
Óleo sobre lámina. Col. Durand-Arias.*

*Página siguiente:
Exvoto dedicado a la
Virgen del Rosario de Talpa por María
Guadalupe Carrillo. 1948.
Óleo sobre lámina. Col. Durand-Arias.*

*Exvoto dedicado a la Virgen de
San Juan de los Lagos. 1918.
Óleo sobre lámina. Col. Durand-Arias.*

"de haber concedido el deseo de haberme casado con el que ahora es mi marido". Las tensiones en la pareja aparecen encubiertas en el lenguaje de la familia y sin ofrecer mayores detalles: "Doy infinitas gracias al Señor de Villaseca por haberme hecho regresar con mi esposo y mis hijos"; "por el milagro de solucionar mis problemas familiares". Ellas son más proclives a hablar de asuntos que ponen en cuestión la vida y el bienestar familiares, como los relacionados con encarcelamientos, es el caso de doña Ascensión Acosta que estaba muy contenta cuando a su esposo "le rebajaron cuatro años" la condena; con accidentes y enfermedades graves o crónicas, como el alcoholismo; con la obtención de trabajo, como se puede ver en el exvoto que mandó hacer doña Ofelia Barrón cuando su esposo consiguió empleo. En algunos casos, la urgencia familiar del trabajo masculino aparece de manera explícita. En 1958, cuando existían los contratos braceros para ir a trabajar a Estados

Unidos, doña Juana Salcedo estaba muy necesitada de que su esposo, que se había ido a Empalme, Sonora, lograra pasar al otro lado porque estaba "muy endrogado".

Otra relación que aparece con alguna frecuencia en el exvoto femenino es la de hermana-hermano. Por lo regular, ellas piden o agradecen por sus hermanos cuando estos están en problemas de veras graves, como cuando se encuentran en la cárcel, o padecen alguna enfermedad grave o crónica. Tal es el caso del "estado de locura" que tanto angustiaba a Victoriana González que llevó un retablo cuando la Virgen de Talpa "me concedió la salud a mi hermano Concepción".

Pero las mujeres también agradecen por los favores que ellas mismas recibieron de sus imágenes de advocación. El tema principal de sus agradecimientos es, sin duda, el de las enfermedades. Hoy y siempre el retablo le ha permitido a la enferma decir no sólo de qué se ha curado, sino explayarse en la descripción minuciosa, muchas veces dramática y sucesiva, de síntomas y curaciones: "no podía pararme de la cama, tenía como si fuera gangrena en las dos piernas me salía agua y mucha sangre y tenía hoyos en la piel". Estas descripciones son muy bien recibidas y ampliamente comentadas por los lectores de retablos en los santuarios: se da gracias por haber sanado de la "enfermedad de parto", sobre todo, si había sido difícil, como solía suceder durante el siglo XIX. Para Apolonia Orozco, que lo padeció en 1857, se trató, sin duda, de un "transe mortal". En el siglo XIX, aunque se mencionaban enfermedades contagiosas y epidemias como cólera, escarlatina, lepra, pulmonía o viruela, era usual que se

hablara también de "dolor de costado", "fuerte irritación", "llagas terribles" o "malignas", "pujo", "torzón". Hoy se suele hacer otro tipo de precisiones: por "salvarme de una operación" o haber sido intervenida con éxito; por sanar de "los nervios" y angina de pecho, de pulmonía y el corazón y, en tiempos más recientes, de cáncer. Con todo, persisten dolencias inclasificables como el "derrame de bilis en un pulmón". Se agradece por la sanación de padecimientos contagiosos o socialmente incómodos: lepra, en el siglo pasado; mezquinos, "que tanto me hacían sentir vergüenza". Pero los males más frecuentes tienen que ver con la condición femenina. En muchos casos no hay pudor para mencionarlos por su nombre –"tumores en el ovario"–, en otros muchos se prefiere la discreción del lenguaje cifrado: "un mal padecer", "enfermedad secreta", "enfermedad interior".

Una fuente de preocupación femenina que perduró hasta la primera mitad del siglo XX, cuando la gente vivía todavía en el campo y obtenía buena parte de sus ingresos de los quehaceres agropecuarios, tenía que ver con la salud y reproducción de los animales: ellas pedían que a sus vacas, becerros y borregos, "no les pegara [...] enfermedad", pero más que nada su atención se dirigía a los puercos, especie que ellas se encargaban de criar en el traspatio de sus casas. Para ellas, como bien muestra doña Encarnación Ramírez, resultaba crucial que la puerquita se aliviara, es decir, que pudiera parir sus crías, porque eran las que les permitían obtener ingresos en efectivo, un déficit permanente de la mujer rural.

Las mujeres manifiestan una fuerte propensión hacia lo que se refiere a

Hago pública mi gratitud a D.N.S. que, por intercesión de la Sma. Virgen del Rosario de Talpa le salvó la vida a mi esposo.

San Juanito Marzo, de 1948

Ma. Guadalupe Carrillo.
(Jal.)

MILAGROSA VIRGENCITA DE TALPA,TE DOY INFINITAS GRACIAS
POR HABERME LIBRADO DE MORIR Á BALAZOS.
MILAGRO PATENTE
Mª DOLORES BRENES. MAYO 8 1964
TRLA.JAL.

la casa como propiedad, lo que tiene que ver, en varios casos, con la transición hacia la vida urbana, a ese momento en que asegurar un espacio en la ciudad se convirtió en horizonte y tarea prioritaria de las familias trabajadoras. Ellas ruegan "por la gracia de tener mi casa" y agradecen porque "no me lanzaran de la casa en que vivo", "por haber salvado mi casa de un incendio", "por concederle tener casa propia ya que parecía imposible", por "haberme ayudado a salvar la casa de mis hijos", por haber resuelto problemas familiares "a causa de la posesión de una casa". Así, no es extraño que el "milagro" por el pago de deudas aparezca ligado a esa necesidad de asegurar un espacio propio: "por haber podido salvar la casa de un compromiso muy grande", "por haberme hecho el milagro de pagar mi casa". Pero han comenzado a aparecer, además, exvotos que dan cuenta de nuevas formas de financiamiento que hoy resultan clave para la economía familiar popular, como el de doña Beatriz Castrejón, que estaba preocupada por "asuntos de una tanda que organicé".

Un tema adicional del exvoto de mujer es el que tiene que ver con problemas judiciales y encarcelamiento. Aunque ellas, como los hombres, suelen afirmar que han sido encarcelados "injustamente", por un "crimen falso" o han sido "víctimas de una calumnia"; la verdad es que es algo de lo que

ellas han podido hablar con soltura a través del tiempo. Anastasia Gómez estaba muy agradecida con el Señor de Villaseca por haberla "librado de la prisión dentro de veinte días". Un problema, en cambio, que ha desaparecido de la expresión votiva es la violencia intrafamiliar. Antes no era así. En la década de 1930 y hasta 1960 el asunto se mencionaba de manera asombrosamente abierta y la imagen, por si fuera poco, no dejaba lugar a dudas acerca de lo que había sucedido. En 1934 doña Antonia Parga se salvó "de no ser arrojada al río al ser empujada por manos de mi marido: el cual ya viendo el peligro que me amenazaba me agarré de mi marido para ser arrojados los dos. Pero invocando a tan milagroso niño pude lograr que se arrepintiera". En 1953 doña Paula García se "libró de un golpe de muerte de su esposo" que en el retablo aparece a punto de golpearla con un madero de inequívocas dimensiones mientras ella ruega arrodillada en el piso. Los exvotos de violencia doméstica, de intentos más que evidentes de asesinato por parte de los cónyuges como en estos dos casos, incluyen datos precisos de la agresión y sus protagonistas: nombres, lugares, fechas. ¿Por qué y cómo se logró que las mujeres dejaran de elaborar exvotos que se asomaban al turbulento mundo de las relaciones conflictivas de pareja y constituyen, ayer y hoy, asignaturas pendientes y candentes de la sociedad?

Lo que es un hecho es que hoy en día han desaparecido del universo del exvoto urbano o, si se quiere, de los santuarios más cercanos a las ciudades, los retablos que dan cuenta de la violencia conyugal contra la mujer.

Esto no significa que la violencia haya sido erradicada. No, parecería tratarse más bien de un cambio en la percepción social de la violencia. Es decir, cuando fue ampliamente conocido que la ofensa y el peligro privados, asociados a relaciones intradomésticas conflictivas, eran delitos que podían ser juzgados y sancionados por agentes externos al hogar, las mujeres fueron reprimidas, de un modo u otro, para que no hablaran del tema. Se podría pensar que fue sobre todo a partir de la urbanización que se dejó de hablar o, más bien dicho, se reprimió el asunto, porque allí, en las ciudades, la violencia conyugal sí podía acarrear algún tipo de consecuencia legal, lo que no sucedía, no sucede aún, en el campo.

Hay, en cambio, tres asuntos —la prostitución, la drogadicción, la pertenencia a grupos de chavos banda— que han comenzado a ingresar en el universo temático del exvoto femenino. Pero es sobre todo el lenguaje gráfico el que resulta particularmente elocuente y explícito; de hecho, es el que permite la cabal comprensión del texto. María Dolores Brenes agradece a la Virgen de Talpa "por haberme librado de morir a balazos" en la "cantina" donde se puede ver que ejercía la prostitución en el momento en que la hirieron. Doña Agustina prefiere referirse al "vicio muy feo" al que se dedicaba su muy arreglada y maquillada hija, según puede observarse en el exvoto que mandó hacer cuando ella "se compuso".

Así las cosas, puede decirse que, a pesar de todo, las mujeres pudieron, a partir del siglo XIX, introducir temas y, sobre todo, una perspectiva distinta a la narrativa hegemónica, al estrecho universo temático del exvoto que era bien visto por la iglesia y la familia. A los temas principales, asignados, permitidos, pautados de la enfermedad y los accidentes en los que la mujer se mostraba sumisa y esperanzada, sometida a los imponderables de la naturaleza y el azar, por lo regular dentro de espacios cerrados y delimitados, las mujeres fueron añadiendo asuntos y proyectando imágenes que les permitieron, a fin de cuentas, reapropiarse y ejercer algún control sobre su imagen y empezar a crear sus propias identidades.

Desde el confinamiento tradicional de la mujer a la esfera privada, el exvoto aparece como una ventana privilegiada hacia la percepción femenina de su entorno familiar, colectivo, social. De este modo, el exvoto femenino puede ser visto como un microcosmos del mundo y las relaciones que privilegian, eluden u omiten las mujeres en su vida cotidiana. Pese a su modestia y en ocasiones a pesar de sí misma, la mujer ha sido protagonista del exvoto, es decir, que en sus temores y agradecimientos ha dejado traslucir sus intereses específicos, sus angustias particulares, su manera especial de entender y valorar las relaciones, las tradiciones, las opciones y normas de su sociedad, del momento histórico en el que a cada quien le ha tocado, vivir y actuar, reproducir y cambiar. ⊕

Patricia Arias. Véase pág. 63.

Este artículo forma parte de una investigación reciente realizada por la autora y que lleva el título *Mujer y exvoto. Por las rendijas de la resignación.*

Exvoto dedicado a la Virgen de Talpa por María Dolores Brenes.1964. Óleo sobre lámina. Col. Durand-Arias.

Desde el siglo XIX, la frontera con Estados Unidos ha sido una fuente tanto de esperanza como de terribles angustias, lo mismo para los migrantes que para los seres queridos que se quedan. La experiencia migratoria es una temática más de los exvotos que expresan de manera directa esas profundas preocupaciones.

Migrantes agradecidos

JORGE DURAND

DOUGLAS S. MASSEY

Con el presente retablo le pido al Sr. de la Conquista --
Que permita que me den mi libertad en Estados Unidos.

SAN FELIPE GTO.   Juanch re Sanches E.   Oct. 10 de 1990.

EN 1884 el Ferrocarril Central Mexicano se conectó, en la entonces pequeña población fronteriza de Paso del Norte, en Chihuahua, con la amplia red de comunicación ferroviaria que Estados Unidos había comenzado a tejer para comunicar el sur y el norte, el este y el oeste de su enorme territorio. Con el tren llegaron a la frontera norte los operarios que se habían ido sumando al tendido de las vías en los sucesivos lugares, en las diversas etapas de la larga travesía que se iniciaba en la ciudad de México. Así, muchos hombres, sobre todo jóvenes, de las planicies de Querétaro, pero sobre todo de las tierras bien pobladas del Bajío de Guanajuato y de Michoacán, o de las tierras flacas de los Altos de Jalisco, Aguascalientes y Zacatecas conformaron el primer contingente no sólo de un tipo de obrero nuevo, sino además de una categoría laboral inédita: el trabajador migrante. A partir de ellos, las novedades de la frontera y las de más allá de la línea no se hicieron esperar. Hasta rincones alejados llegó la noti-

cia de que la economía norteamericana, en plena expansión, requería de trabajadores no sólo para los quehaceres del "traque", como llamaban al ferrocarril, sino además para agricultura, manufactura y servicios. El flujo migratorio se intensificó e hizo imparable. Entre 1900 y 1924 se registró el ingreso de casi medio millón de mexicanos a Estados Unidos.

A partir de la migración laboral se inició una nueva, prolongada, indisoluble relación entre México y Estados Unidos que ha acumulado y dejado huellas profundas en ambos países, en la trayectoria de un sinfín de comunidades, en el destino de innumerables familias del centro-occidente del país, región cuna del flujo migratorio. Las sociedades rurales, donde abundaban las familias numerosas, podían, o en verdad necesitaban, desplazar población. Así, hijos, esposos, hermanos comenzaron a trasladarse de manera temporal hacia esa frontera porosa y demandante que aparecía como una alternativa a la pobreza, a la falta de oportunidades y de ingresos en el campo.

Sin embargo, la migración era una circunstancia difícil de procesar e incorporar en sociedades, familias, individuos que iban quedando involucrados en ese ir y venir incesante entre países vecinos pero de culturas tan distintas. La salida de algún miembro de la familia, sobre todo de los hombres, hacia Estados Unidos se convirtió en un motivo adicional de preocupación en las sociedades de vida y tradiciones campesinas, pues resultaba casi imposible mantener la comunicación con el ausente. De allí que la experiencia migratoria se integrara, con nuevas y poderosas razones, a la

práctica del exvoto, a un dar gracias que tiene la particularidad de sintetizar el momento y la angustia más profundos de experiencias personales prolongadas. Otra peculiaridad del exvoto migrante es el lapso de tiempo, a veces varios años, entre el suceso y el momento en que se cumple la manda, es decir, en que se hace la visita y se coloca la ofrenda en un santuario. Esto tiene que ver, en parte, con la fecha del retorno, definitivo o estacional, del migrante a su tierra, pero también con que el exvoto migrante se piensa y destina a algún santuario de México, que es donde se encuentran las devociones más antiguas y arraigadas, donde donantes y lectores comparten el sentido y el sentimiento de "hacer patente el milagro". Hasta la fecha, los santuarios más ricos en este tipo de exvoto se localizan en el centro-occidente del país: San Juan de los Lagos, Talpa, Zapopan, el Señor de la Misericordia en Jalisco; el Señor de Villaseca, el Señor de la Misericordia en Guanajuato; el Señor del Saucito en San Luis Potosí; el Santo Niño de Atocha en Zacatecas.

El exvoto de don Gumercindo Ramírez, que es el primer retablo de migrante conocido hasta ahora (1908-1912), sintetiza muy bien el mundo y los problemas de los primeros trabajadores en el otro lado. Don Gumercindo era un guanajuatense originario de San Francisco del Rincón, muy cerca de donde se ubicó, durante el porfiriato, la estación San Francisquito del Ferrocarril Central Mexicano, desde donde seguramente salió hacia Estados Unidos, quizá ya como trabajador del traque. En 1908 sufrió un accidente de trabajo en Kansas, estado donde confluían los ferrocarriles

del sureste agrícola y el noreste industrial y donde se contrataba a muchos trabajadores mexicanos. Antes de quedar "bien muerto", don Gumercindo se encomendó a una de las imagenes más veneradas en su tierra: la virgen de San Juan de los Lagos. El milagro y la promesa jamás las olvidó, pero fue hasta cuatro años más tarde, en 1912, cuando pudo acudir al santuario y "dedicarle el presente recuerdo" que quedó por muchos años en exhibición en el camarín de la Virgen.

Una última característica del exvoto de tema migrante es que ha sido elaborado y puede ser leído desde dos puntos de vista: el de los familiares y el del migrante. Uno de los motivos más reiterados por los familiares que permanecen en México, sobre todo padres y esposas, ha sido el agradecimiento por el retorno, después de la ausencia, a veces prolongada, del migrante. En varios casos, se trataba, además, de ausencias que incluían periodos muy dolorosos en los que el migrante se "perdía", es decir, no se sabía de él. Para doña Florentina Castillo fue, sin duda, un milagro que su hijo volviera a Guanajuato después de casi veinte años fuera de la casa. Y es que la migración fue, durante la mayor parte de este siglo, la posibilidad

Exvoto dedicado a la Virgen de San Juan de los Lagos por Carmen Ortiz. s./f. Óleo sobre lámina. 25.5 x 18 cm. Col. Durand-Arias.

Doy infinitas gracias al Sr. de los milagros, porque encomendado a El, sanó mi hijo Leonardo Arsola, de una énfermedad muy desconocida que tenía, y porque espero, que regresen otros 3 hijos, que están en E.U. uno con su familia y los otros 2 solteros.
San Felipe, Gto. 4 de Julio/1977.
María Marcos Rebolloso
Leonardo Arsola

Exvoto dedicado al Señor de
los Milagros por María Marcos Rebolloso y
Leonardo Arsola. 1977.
Óleo sobre lámina. 25 x 18.5 cm.
Col. Durand-Arias.

de asegurar un mejor, y de preferencia pronto, retorno al terruño. Tal es el caso de doña Candelaria Arreola que aún no terminaba de rezar un novenario a la virgen de Talpa por el regreso de su hijo, cuando éste llegó a El Grullo, después de mucho tiempo de estar fuera. Hoy las preocupaciones son distintas, y eso se refleja en los exvotos. En los últimos años, han comenzado a proliferar los retablos en los que familiares agradecen el hecho de que sus parientes hayan podido arreglar sus papeles para quedarse de manera más o menos definitiva en Estados Unidos. Para María del Carmen Parra, por ejemplo, fue motivo de una ofrenda a la Virgen de San Juan de los Lagos que su hija se casara en Estados Unidos.

Otro motivo de preocupación y agradecimiento permanente de las familias ha sido la recuperación de la salud, deteriorada por alguna enfermedad o accidente. Así, doña Margarita le agradece a san Miguelito por "haber dado la salud a mi hijita de Dallas, Texas". En todos los santuarios se encuentran exvotos que agradecen por la salida de la cárcel de familiares apresados en el otro lado. Cuando doña Alvina Quiroz supo que su hijo estaba "preso en el Norte se encomendó al señor de Villaceca" para que volviera con bien, lo que efectivamente sucedió. También

allí se perciben modificaciones. Si antes eran los padres los que pedían y agradecían por los favores hechos a sus hijos, ahora son abuelos los que ruegan por nietos distantes.

Las preocupaciones y agradecimientos de los migrantes han tenido que ver con seis asuntos primordiales, aunque también cambiantes. El primero de ellos es el cruce de la frontera que, por el río o el desierto, ha dado lugar, siempre, a temores fundados. Domingo Segura vivió una situación similar en mayo de 1925, cuando fue arrastrado por el río Bravo en El Paso, Texas, y al invocar a la Virgen de San Juan de los Lagos, "acudió en mi salvación un compañero mío el cual luchando con denuedo las temerosas aguas logró sacarme al margen del río". Pero, como bien saben los migrantes, los peligros que acechan en la frontera no son sólo "naturales". En 1989 Esteban Gómez, Esteban Hernández y Faustino Gómez se libraron de "un asalto y atentado de muerte en el Río Bravo en Laredo, México". A ese temor por el paso de la frontera se añade la desesperación, muy frecuente en las décadas 1910-1950, de quedarse solo o extraviarse en poblaciones desconocidas y ciudades grandes. Para gente de origen rural, como lo era seguramente don Matías Lara, debe haber sido terrible la experiencia de perderse en 1919 en Chicago, ciudad de enorme dinamismo industrial donde confluían migrantes de todo el mundo, pero donde apenas comenzaban a llegar los trabajadores mexicanos.

A las angustias de la travesía y la ubicación en Estados Unidos, se sumaron muy pronto los exvotos, sin duda los más numerosos, que agradecen por la recuperación de accidentes personales, familiares, de trabajo, experiencias que para los migrantes resultan particularmente dolorosas por encontrarse separados de su tierra y de los suyos. Don Senovio Trejo agradecía a san Miguelito porque "trabajando en el algodón y al transportarme de un lado a otro se nos descompuso el carro chocando con un poste de luz. El cual me pegó en el cerebro viéndome en tan grande peligro lejos de mi patria y de mi familia". En el exvoto ha quedado constancia además de la participación de los migrantes o sus descendientes en todas las conflagraciones en las que se ha embarcado Estados Unidos a lo largo del siglo: primera y segunda guerras mundiales, las guerras de Corea, Vietnam, el golfo Pérsico. En 1967 don José Luis Palafox llegó hasta el Santuario de la Virgen de San Juan de los Lagos a agradecerle por haberlo "protegido y salvarme la vida al ser herido en combate" en Vietnam. Un asunto de especial regocijo para el migrante era volver a casa pronto. Ellos suelen llevar una contabilidad precisa del tiempo que les ha costado regresar a su tierra. Así, don J. Refugio Trujillo pudo volver en 1980 "a casa con bien después de tres años en Florida".

Pero en la última década, el exvoto ha servido para testimoniar también el agradecimiento de los migrantes por haber obtenido papeles que les permitan permanecer de manera legal en Estados Unidos, por comprar una casa en el otro lado, porque los hijos hayan podido estudiar hasta ser profesionales. Un retablo reciente al Señor de los Milagros expresa las ambigüedades de la familia migrante en este tiempo: allí, el donante está agradecido por el milagro de que "mi hijo regresara del norte" pero, "habiendo arreglado sus papeles".

El exvoto, como una de las más elocuentes formas de expresión de los anhelos y preocupaciones más sinceros de los migrantes en Estados Unidos, ayudó seguramente a mitigar el impacto de la transición en socieda-

des rurales que desde fines del siglo pasado fueron catapultadas hacia un escenario de hábitos y quehaceres inéditos en el país más rico del mundo que, al mismo tiempo que atraía trabajadores, discriminaba y repelía la integración social de muchos tipos de extranjero. Allá, los trabajadores lograron resolver algunos de los problemas que los habían impulsado a migrar, pero enfrentaron situaciones y dilemas lo suficientemente poderosos como para convertirlos en motivos para dar gracias. De ese modo, el exvoto se convirtió en testigo y testimonio privilegiado de la migración México-Estados Unidos, historia que recorre todo el siglo XX y marca las relaciones entre ambos países en este fin de milenio. ⊕

Jorge Durand. Véase pág. 55.

Douglas S. Massey. Sociólogo y demógrafo norteamericano. Especialista en la migración México-Estados Unidos. Entre sus obras destacan *Return to Aztlan* (1987), *American Apartheid* (1993), *Miracles on the Border* (1995).

*Exvoto dedicado al
Señor de la Misericordia. 1853.
Óleo sobre lámina. Museo del Santuario de la
Misericordia, Tepatitlán, Jalisco.*

Aceves Barajas, Pascual. *Hermenegildo Bustos. Su vida y su obra*, Guanajuato, Imprenta Universitaria. 1956.

Alberro, Solange, Elin Luque Agraz, Michele Beltrán, *et al.*, *Retablos y exvotos*, México, Artes de México-Museo Franz Mayer, 2000, (Col. Uso y Estilo).

Brenner, Anita, *Idols Behind Altars*, Nueva York, Payson & Clark Ltd, 1929.

Bélard, Marianne y Philippe Verrier, *Los exvotos del occidente de México*, Zamora-París, El Colegio de Michoacán-Centre Français d'Études, 1996.

Baños Urquijo, Francisco (cord.), *Gerónimo de León, pintor de milagros,* Guanajuato, Empresarios, S.A. de C.V., 1996.

Calvo, Thomas, "Paysages: une lecture des exvoto mexicains 1870-1990" (Paisajes: una lectura de los exvotos mexicanos 1870-1990), en *Alfil*, revista del IFAL, núm. 14, invierno 1993, otoño 1994, pág. 73.

Colin, Mario, *Retablos del Señor del Huerto que se venera en Atlacomulco,* México, Biblioteca Enciclopédica del Estado de México, 1981.

Dones y promesas: 500 años de arte ofrenda, México, Centro Cultural Arte Contemporáneo, 1996.

Egan, Martha J., *Milagros: Votive Offerings from the Americas*, Santa Fe, Museum of New Mexico Press, 1991.

Escobar, Agustín, *et al.*, *Gracias y desgracias. Religiosidad y arte popular en los exvotos de Querétaro,* Querétaro, Gobierno del Estado de Querétaro - INAH, 1997.

Gerlitt, John, "Votive Offerings", CIBA *Symposia*, Vol. 1, núm. 4, Julio, 1939.

Giffords, Gloria Fraser, *Mexican Folk Retablos*, Tucson, University of Arizona Press, 1992.

Giffords, Gloria Fraser, *et al.*, *The Art of Private Devotion: Retablo Painting of Mexico*, Forth Worth-Dallas, InterCultura-The Meadows Museum, 1991.

Durand, Jorge y Douglas S. Massey, *Doy gracias. Iconografía de la emigración México-Estados Unidos*, Guadalajara, Programa de Estudios Jalisciences, 1990.

—*Miracles on the Border. Retablos of Mexican Migrants to the United States*, Tucson-Londres, University of Arizona Press, 1995.

Kriss-Rettenbeck, Lenz, *Exvoto. Zeichen, Bild und Abbild im christlichen Votivbrauchtum*, Zurich-Freiburg, Atlantis Verlag A.G., 1972.

Montenegro, Roberto, *Retablos de México*, México, Ediciones Mexicanas, S. A., 1950.

Murillo, Gerardo, (Dr. Atl), *Las artes populares en México*, México, Librería Cultura, 1921.

Oettinger, Jr., Marion, *Folk Art of Spain and the Americas: El Alma del Pueblo*, New York, Abbeyville Press, 1997.

Romandía de Cantú, Graciela, *Exvotos y milagros mexicanos*, Cía. Cerillera La Central S.A., México, 1978.

Sánchez Lara, Rosa María, *Los retablos populares exvotos pintados.*, México: UNAM, 1990.

Tibol, Raquel, *Hermenegildo Bustos, pintor de pueblo*, México, Conaculta-Ediciones Era, 1992.

Waddy Lepovitz, Helena, *Images of Faith*, Athens-London, University of Georgia Press, 1991.

Westheim, Paul, "Hermenegildo Bustos" en *Catálogo de la Exposición Hermenegildo Bustos*, México, Museo Nacional de Artes Plásticas, 1951.

EX-VOTOS

MARGARITA DE ORELLANA

So many busy people painting things that were commonplace for everybody, developed a language. ANITA BRENNER

Ex-votos are what we call complete works of art, and that's natural: the purity, the faith in the reality of the marvelous, love and disinterest teach everything, even to make use of the entirely abstract phrase, "modern painting." DR. ATL

It is impossible not to feel moved when visiting a church or shrine and encountering those gifts that popular Catholicism offers its favorite saints. In Guadalajara, the Christ Child at the Church of la Merced is set inside a glass case full of small rectangular metal plates with paintings, metal *milagros*, braids, children's clothing, handcrafted or plastic toys and even protheses. ⊕ The sensation that this image provokes remains in the memory forever, and its force never ceases to prey on our minds. This issue of *Artes de México* focuses mainly on the painted ex-voto and metal milagros. It is impossible to cover every aspect related to this aesthetic and religious manifestation in a single issue. But what we can offer is an overview of the incredible ingeniousness and skill that so many anonymous artists put into their elaboration of these dramatic paintings, whose roots may perhaps be traced to cultured narrative painting from the end of the Middle Ages, though its aesthetic affinities lie as much with modern art as with what we would call primitive art. ⊕ It is of utmost importance to mention that this is not a spontaneous art form as it is subject to a popular and codified language, which means it must follow certain rules. In this sense, it may be considered a kind of pictorial and verbal narrative. ⊕ The content of each of these pieces stems from two human universes: daily life in terms of illnesses, accidents, natural disasters, injustice and other calamities on the one hand, and on the other, religious imagery which represents the distinct aspects of Christ, the Virgin or the saints, to whom artists or donors show themselves to be highly devoted and to whom they pay frequent visits in their churches. ⊕ More than an expressive painting, the ex-voto is an effective object, a kind of agent that both modifies and carries out an action. The ex-voto establishes a sort of interchange and a certain complicity between humanity and divinity. ⊕ Though it may appear naïve to our eyes, it is a pragmatic act. It could even be considered as a kind of currency with which one pays for favors received. Without it, there's no deal. The ex-voto is charged with power—religious power. It is like the relics or holy water which are endowed with some force. Even the words chosen to express love and gratitude toward the divine being are effective. They reaffirm the love story involving a human being and his or her benefactor, and reinforce the gratitude felt by the former. But once this love story and this gratitude are rendered in paint on wood or metal, they become not only permanent, but public. The world where this kind of worship is carried out is one where people live as a community. And it is through ex-votos that the community learns that something important and extraordinary has occurred between the Virgin or Christ and one of its members, but this occurrence is assimilated into the life of the community as if it were just another everyday event. A deistic religiosity would have little faith in such an act and would reject it in the end. ⊕ On the other hand, we are aware that by taking ex-votos out of context—the sanctuary—we have in a way disarmed them. Their removal makes them lose power and converts them into stolen goods. Nevertheless, whether or not they are seen in their natural environment, these pieces are an endless source of information for understanding the history of human anguish. ⊕ Thanks once again to the initiative of Gloria Fraser Giffords—this issue's guest editor—we are able to delve into various aspects of these diminutive objects. The writers published on these pages are highly knowledgeable on the topic and each one opens a different window onto it. ⊕ *Translated by Michelle Suderman*

Unable to control meteorological events or physical calamities, comfort was sought in animistic beliefs that were appealed to and rewarded at appropriate times. Thus evolved a distinct type of offering: a votive gift bestowed upon supernatural beings in thanks for help received, or to placate them so order would prevail. Its name, ex-voto, derives from Latin: *ex* (from) and *votum* (vow)—in other words, a token from some individual or group of individuals for favors received. In remote times, sacrifices of living beasts or humans were performed for the good of the community, but as societies developed and individuals assumed more control over their own personal wellbeing, substitutes for live offerings apparently became acceptable. Objects in the shape of domestic animals and entire human bodies or their parts definitely identified as votive offerings have been found in Babylon dating back more than 4000 years; at Greek sites from the eighth century BC; as well as among Etruscan and Roman artifacts. The tradition of giving thanks is a vigorous and significant aspect of Christian belief; and inevitably, the act of presenting a physical token of thanksgiving became embedded in Christian ritual. Meanwhile, a similar phenomenon was being independently cultivated among the peoples of the New World. An early chronicler of the Conquest, Francisco Javier Clavijero, noted in his *Historia antigua de México* that "the most important duty of the priest, and the Mexicans' principal religious ceremony consist of making offerings and sacrifices on certain occasions to obtain some favor from Heaven or in gratitude for favors received." Thus, in converting indigenous peoples to the Roman Catholic religion with the tacit objective of abolishing the original faith, certain practices within the old religion were maintained—with some adjustments, of course.

Pilgrimages to holy sites to pay homage to some god or to ask a favor—a tradition that was accompanied by gifts—would also be suppressed by the early Christian missionaries, and centuries later, missionaries in the New World followed their lead. In this Saint Augustine's advice to those charged with converting the Celts in the fourth century was put to use: conserve the tradition of pilgrimages, just exchange the gods with Christian ones. Therefore, the pilgrimages we see today to sites such as Tepeyac or Chalma and the votive offerings left there are the most recent manifestation of a continuing tradition which perhaps began long before Spaniards ever set foot on these shores.

Prior to the time of the Conquest, there had developed in Europe the tradition of votive offerings in the form of small paintings; the earliest painted examples in existence are Italian and date from the mid-fifteenth century. Much more graphic than simply a wax, metal or wooden image of a human limb or organ, here the giver could illustrate a dramatic episode. The medium also afforded an opportunity to include other humans or animals in the scene, thus enlivening the tableau and making the miracle self-explanatory, with a date and the name or initials of the donor placed alongside. These early ex-votos came from the aristocracy and the social elite. After the 1660 Council of Trent, however, the Counter-Reformation encouraged testimonies of miraculous healings and the subsequent offering of thanks, giving rise to an increase of claims to miracles and a resultant upsurge of ex-votos. With their importation from across the Atlantic beginning with the Conquest, ex-votos became a popular religious practice in the Americas. Beginning with the viceregal era, ex-votos were generally commissioned by the moneyed and noble classes and could consist of such elaborate acts as the donation of an entire church, chapel or altar, or a painting by a prominent artist. Pieces of jewelry to be hung on the clothing of figures of the Virgin Mary were also popular gifts from wealthy women. During the nineteenth and twentieth centuries small paintings depicting the miracle and the characters involved or small metal or wax replicas of body parts would be placed on or near the image of the holy figure invoked. In Mexico, stratification between two- and three-dimensional ex-votos soon occurred: the latter assumed the generic name *milagro* (miracle) while the painted or drawn ones were called *retablos*. The term retablo probably evolved from the association of the painted ex-voto with the religious images in churches that are called retables

or altarpieces. Also considered ex-votos are the crutches, hospital bracelets, diplomas, certificates, plaits of hair, toys, photographs and X-rays. These, too, are physical allusions to some particular aspect of the favor received.

Just as had occurred in Europe, the painted ex-voto in nineteenth-century Mexico became almost exclusively the domain of the lower socioeconomic classes—principally a result of Mexico's independence from Spain and the breakdown of the old political regime, as well as religious constrictions and the development of a new economy which began to fuel a rise in expressions we now call folk art. In addition to objects of devotion for private chapels or homes, painted tokens of thanksgiving executed by self-taught artists began to festoon walls near particularly effective images in churches.

The ex-voto is one of the most interesting visible manifestations of popular religion. Functioning outside the official Church, they are sometimes tolerated or even encouraged by ecclesiastic authorities. Beyond the control of the Church, the populace assimilates some aspects of the official dictates and creates a personal bond with God, nurtured by the tribulations suffered in isolation and despair. A relationship is forged between the supplicant and heavenly intercessors through the offering of prayers, promises, vows, sacrifices, even threats and punishment, to gain the saint's favor. Ex-votos are part of this personal relationship and serve a double purpose—the public manifestation of gratitude and the enhancement of the saint's reputation as a helpful entity. This interaction between the congregation and those religious figures with whom it has developed a special bond helps create cohesiveness within a community.

Any distress in terms of health or fortune is a clear motive for pleading for divine intercession. While all saints are considered equal in the eyes of the Catholic church, certain ones are perceived as willing intercessors for humankind's troubles and, as a result, are more appealing to a congregation. Their professions, the miracles they performed or the way they died as well as local traditions all play a significant part in determining which particular figures will be regarded as the most beneficial and receptive to devotee's pleas. For example, because of certain elements of the life of Saint Anthony of Padua, he is thought to have the power to assist in finding lost articles, helping women find appropriate husbands and bestowing fertility. It is common, therefore, to see ex-votos related to these specific problems dedicated to him.

ESTANdo TRABAjANdo EN UN PEdASO dE MiPROPIEdA
ME SALIO UN desCoNoSido hi SIN dESIRME PABRA ME
LASohi ME ARASTRO Ai LE PEdidE CORASON Ai VIR
EN deLoS DOLoRES hi ME SALVE MiLAGROSA MENTE 26
JUNio de 1914 VISENTE LUN

Ex-voto dedicated to the Virgen de los Dolores. 1914. Oil on metal. Collection of Ruth D. Lechuga.

Because Saint Isidore the Husbandman was a simple toiler of the soil whose piety created popular legends such as God sending angels to assist him in his labors so he could attend Mass, his assistance was besought in terms of the protection of crops and general prosperity for farmers. Not only were statues of him paraded around fields during sowing and harvest times, but tokens testifying to his power as an intercessor for optimum conditions for crops and livestock were placed on or near his image. The apparent contribution to fulfilling such fundamental needs is conceivably one reason why some religious figures are festooned with testimonies to their efficacy while others around them languish in neglect. It should also be borne in mind that an image of a particular saint might be a powerful thaumaturgic figure in one locale, while in another it is scarcely paid any heed. Furthermore, due to their enormous popularity, other figures such as the Child of Atocha or Our Lady of San Juan de los Lagos are regarded as the panacea for all ills.

Most painted ex-votos that have survived to this day are from the Bajío region (Guanajuato) and are generally dedicated to different aspects of the Virgin Mary or Jesus. They are often associated with geographical areas whose economic importance is or was due to mining. In the most pragmatic of analyses, demographics, economics, politics and geography have a great deal to do with the location of centers for religious pilgrimages.

Whatever their support material—which may be canvas, wood, metal plate or paper—the painted ex-voto is generally done according to a formula. The individual seeking help is shown in that moment of greatest need or in the act of supplication, most generally facing the holy personage to whom they pray for deliverance. Sometimes the person is shown twice: once in a view that involves the action surrounding the misfortune, and again to the side, kneeling in prayer. An image of the Virgin, Christ or a saint appears in the upper section of the ex-voto, usually supported by clouds or emanating rays of light. The donor's name, the date of the incident, as well as a brief description are written at the base. Almost invariably, attention is placed on the desperation that drove the supplicant to seek divine intervention. The language used is reverent, almost stately, though often full of grammatical and spelling errors.

As the format itself presents few deviations, the originality of each piece resides fundamentally in differences in artists' ability, their use of space and degree of detail, as well as styles reflecting arts trends in general. Some painters understood shading, depth and perspective, and appear to have had some academic training. Others displayed a natural instinct for layout, color and drama, typical to naïve art. Perspective is either not present or is misunderstood; vanishing points are confused and figures are arranged in hieratic scaling. Proportion and anatomy do not respect the conventions of realism—the figures are posed in such a way as to maximize the drama or explain the miracle. Free from the formal dictates of academia, thousands of ex-voto painters over the last two centuries have created a genre admired for its naturalness and naïveté, which has served as inspiration for Mexican artists in the twentieth century. We are astonished sometimes by the ingenious manner in which design and composition are used to accomplish the visual description of earthly woes and heavenly intervention. Usually anonymous, the artist's ego is repressed in order that the ex-voto become the donor's personal declaration of faith. Although there are ex-votos that are painted in advance, with generic supplicants and the regional miraculous figure already in place, simply waiting for an inscription to personalize them, many appear to have been cooperative efforts between painter and client, establishing the number of people involved and exact details of the incident. Once satisfied with the scene, the donor would take the ex-voto to the church where it would hang alongside perhaps thousands of others.

Ex-votos may be seen in many churches and sanctuaries in Mexico. Some of the largest collections can be found at the Basilica of Guadalupe in Mexico City, at the Sanctuary of The Child of Atocha in Plateros, Zacatecas, and the Church of The Immaculate Conception in San Juan de los Lagos, Jalisco. However, a large number have found their way into private or museum collections simply because the overabundance of them caused some to be discarded or sold by church authorities themselves. Upheavals in Mexico during the Revolution in the early twentieth century and the subsequent closing of churches during the presidency of Plutarco Elías Calles probably resulted in an even wider dispersal of ex-votos.

Besides being a powerful reminder of a people's faith, the Mexican ex-voto functions as a valuable social, historical and artistic document. Ex-votos from the past two centuries in particular offer glimpses of individuals from modest socioeconomic levels: how they dressed, what their homes and furniture looked liked, the diseases that afflicted them, as well as other details about ordinary men and women. Unmentioned in most diaries and accounts (except perhaps official governmental reports), the people told their own history by means of painted images.

An examination of thousands of ex-votos throughout Mexico reveals general patterns. In the nineteenth century, various diseases and other ailments affected a large segment of the population. Keeping in mind that some of these afflictions were likely not diagnosed by a medical professional and were simply described in terms of the symptoms, children's diseases appeared to have included measles, typhoid, dysentery and colic. Elderly people were afflicted with conditions accompanying old age along with pneumonia and intestinal problems. Women were portrayed in pregnancy and childbirth and men suffered fevers and hemorrhage. Cholera affected everyone, as did chills, seizures and infections. The victims were posed in beds or on *petates* (palm mats) with family members sometimes clustered around them. We share the horror of operations performed on tables in private homes.

Besides illness, natural disasters were an important source of inspiration for ex-votos: floods swept men and livestock away, lightning storms injured people and started fires, earthquakes damaged buildings and caused death and injury. Rural life was hard, people were under threat of being gored by a bull or thrown by a horse. Sheep and goats wandered off and got lost, cattle were affected by epidemics. People were robbed and assaulted. The sparseness of landscape detail and absence of crowds or spectators contribute to the general feelings of individuals left to their own resources as far as solutions to crises were concerned.

Besides agriculture, the next most hazardous occupation was mining. In inhumane conditions, miners were trapped when tunnels collapsed, injured when equipment broke and subject to the threat of gas inhalation. We see them below ground, clad only in rolled-up trousers and hats, in scenes reminiscent of an ant colony.

Men, women and children suffered every imaginable accident. Emo-

Top: Ex-voto dedicated to El Señor del Hospital. n.d. Oil on metal. Collection of Ruth D. Lechuga.

tions would run high, and guns and knives wounded men and women. Other injuries were caused by domestic violence. Travel was fraught with danger from wild animals, poor roads and bandits. Freak accidents abounded. Water presented a threat, in wells and floods, but also in shipwrecks or fishing accidents.

In the twentieth century many of the same dangers remained, only refined and sometimes intensified. Surgery and medicines did not always alleviate medical problems, in which case heavenly forces were often a last resort. Travel was still dangerous with new modes of transport presenting a potential danger.

The phenomenon of Mexicans traveling to find work in El Norte inspired yet another category of ex-votos. These gave thanks for being protected from the perils of crossing the U.S.-Mexico border, as well as for having endured the subsequent feelings of homesickness stemming from life in a foreign culture.

In both the nineteenth and twentieth centuries, the violence of war, revolution and political upheaval were amply depicted. Men were often falsely imprisoned, and hanging or the firing squad often appeared to be the only option. Their release or escape from prison did indeed seem a miracle.

Toward the end of the twentieth century a certain trivialization began to creep in and with it, ex-votos dealing with more mundane issues such as winning a soccer match or receiving some certificate of academic or professional merit. Styles in these new ex-votos often reflected the black outlines and flat colors of comic books. The desire for realism and convenience often spurred individuals to submit photographs as substitutes for the traditional painted examples.

Like voyeurs, we scrutinize the most private moments of strangers. But stepping back from the assessment of thematic categories or aesthetic value, one cannot remain untouched by the vast numbers of personal testimonies of faith. ⊕

METALLIC ALLIANCES

MILAGROS: ANCIENT ICONS OF FAITH
MARTHA J. EGAN

In Mexico and other parts of Latin America, the diminutive effigies of body parts, persons, animals, possessions, plants, and so forth, are known as *milagros* or *milagritos* (miracles). In contemporary Mexico milagros are most commonly made of pot metal with a silver or gold wash; in former times, they were hand-crafted of silver or gold.

Little has been written about milagros, a custom that endures in Mexico and is currently the object of interest of folklorists, tourists and contemporary artists. In all likelihood, the use of milagros throughout history, like many aspects of popular culture, was so commonplace that scholars and chroniclers rarely mentioned the custom. In those instances when Church authorities note the faithful's use of ex-voto offerings, they invariably decry them as "superstitions." In all likelihood, the Church's discomfort with votive offerings derives from the recognition that in the New World as well as in the Old World, the use of milagros and other types of ex-votos is linked to ancient pre-Christian-era beliefs.

In the Americas, the use of votive offerings has pre-Conquest antecedents. Archaeologists have found effigy offerings in such places as Colombia's sacred lakes, the *cenotes* (sacred pools) of the Yucatán peninsula, the *huacas* (sacred mounds) of Perú, Mexico's pyramids and in the subterranean ceremonial rooms called *kivas*, used by certain tribes of the U.S. Southwest. According to Cieza de León, Francisco Pizarro, together with his pilot, Bartolomé Ruiz, found effigy offerings on a small island near Puná, off the coast of Guayaquil, Ecuador: "they found many small pieces of gold and silver in the shape of hands, women's breasts and heads."

Unfortunately, information about how Natives used effigy offerings was for the most part lost in the chaos of the Conquest and the Church's efforts to root out indigenous religious beliefs and practices. Today, Zapotec Indians continue a pre-Hispanic ritual that includes miniature votive offerings. On New Year's Eve, people traditionally gathered at mountainside caves near Mitla, Oaxaca. There, they offered fruit, candles and flowers to favorite Zapotec gods before descending into nearby fields where, using sticks and stones, they constructed miniatures of their petitions: houses, corrals, cornfields, domestic animals. Then they spent the night guarding their offerings. Today, the custom has been Christianized, and on New Year's Eve, petitioners place notes and offerings of plastic houses, furniture, animals and plants in a chapel dominated by a large cross, la Cruz del Pedimento. Black slaves brought to Mexico from West Africa beginning shortly after the conquest of the Aztec Empire, also imported customs involving the use of miniature effigy offerings to petition and thank supernatural beings for their assistance. Many of these customs survive in *santería* and *candomblé* rituals in those areas of Latin America with large Black and mixed-race populations.

However, the use of milagros in Mexico and the rest of Latin America derives most directly from Iberian folk traditions and arrived with the Spanish. These votive offerings have ancient roots in the Mediterranean basin, from North Africa to the Middle East, across all of Western Europe, and as far north as Scandinavia. In Western Europe, milagro-like offerings are perhaps oldest in Greece, where ex-votos—called *tamata* today—are still in use. In classical Greece, pilgrims in search of a cure traveled to pilgrimage sites dedicated to the Greek god of healing, Asclepius. At Corinth, in one of the principal temples to Asclepius, petitioners left life-sized terra cotta heads, ears, legs, arms, female breasts and male genitalia that date from the fifth and fourth centuries BC. Excavations at Epidaurus revealed a wealth of votive offerings in a variety of materials: miniature body parts in gold, silver, iron, clay and stone that closely resemble present-day Mexican milagros. Petitioners also left as offerings to Aesclepius: miniature surgical instruments, slippers, pillows, bottles, fans, mirrors. whose meanings can only be surmised.

Ex-votos were in use in other parts of the ancient Mediterranean as well. In Italy, excavations at Monte Falcone have produced Etruscan-period bronze effigies of human beings pointing to a certain part of the body; archaeologists speculate that the figures are indicating the locus of an illness. Other Etruscan sites at Vulci, Calvi and Cervetri have yielded milagro-like horses, cows, pigs, apples, pomegranates, grapes and human body parts, including effigies of flat feet,

Ex-voto to El Señor de la Misericordia. 1858. Oil on metal. Museum of the Santuario de la Misericordia.

crooked legs, a head with two wounds, bowels, wombs and other inner organs. In Roman times, votive offerings used to petition deities were known as *donaria*; these included both votive plaques that commemorated a miracle as well as miniature body parts in silver, bronze, or terra cotta. At Nemi, Italy, near present day La Riccia, Romans petitioned the goddess Diana with effigy offerings. They considered her not only the goddess of the hunt, but a goddess of fertility and childbirth as well. Egeria, the nymph of clear water, was also worshipped at Nemi. Terra-cotta models of various body parts suggest that the waters of Egeria were used to heal the sick. Roman votive offerings in the form of wreaths, lamps, and crosses have also been found in Roman sites in Spain.

In places thought to have been holy for the Iberians (500–100 BC), archaeologists have unearthed ex-votos in bronze—some forged, some cast. Riders bearing shields, small human figures with outstretched arms, horses, and body parts such as eyes, stomachs, legs and arms are typical of Iberian period votive offerings. Barcelona's Marés Museum has a fine collection of Iberian ex-votos.

In Europe, the basic difference between pre-Christian votive offerings and those of the Christian era is not the form of the offerings, which have remained remarkably similar throughout the ages. Rather, it is in the practices surrounding the use of the effigies. Pre-Christian people in the Mediterranean Basin are thought to have used miniatures to petition the deities to answer a prayer. In the Christian era, the Church held that this was presumptuous of the faithful, a form of bribery. Realizing that the custom of votive offerings was too ingrained in people to eradicate, however, the Church attempted to convince the faithful to use gifts *post factum*, to thank Christ, the Virgin or the Saints after a prayer was answered and commemorate the "miracle."

In an attempt to capitalize on people's long-established allegiance to places associated with miraculous healings—typically, caves, hot springs, water sources, mountaintops, or other natural sites—where people customarily went to petition the gods and leave offerings, the Church built Christian temples at these sites, and dedicated them to an image of the Virgin, Christ, or one of the saints. The practice, known as syncretism, was widely employed by the Church in their efforts to convert the indigenous peoples of the Americas to Catholicism.

Throughout the Christian centuries in Europe, grateful petitioners placed their votive offerings on or beside a favorite image at a pilgrimage site, in a neighborhood shrine, a rural chapel or on a home altar. The faithful saw the saints as powerful intercessors with God, not as objects of worship per se. The votive offerings that they left on or beside a holy image served to remind a saint of petitioners' wishes and to thank the saint for answered prayers. The personal mementos also testified to the efficacy of that particular saint in helping bring petitioners' pleas before God. An abundance of ex-votos on a particular image served to advertise the fact that the saint was effective in helping to get prayers answered.

The use of ex-voto offerings of all kinds became widespread throughout Christian Europe, reaching a peak in the Middle Ages when saints proliferated and faith was simpler, ruled by the Golden Rule: "Do unto others as you would have done unto you." In Europe, most ex-voto miniatures were crafted from silver, iron, terra-cotta, wax, wood and other materials. Some, however, were commissioned from the finest artisans of the day, who sumptuously rendered them utilizing precious metals and jewels. Few historical ex-votos—whether elegant or plain—have survived the vicissitudes of time. Valuable ex-votos often found their way to the crucible, given the Church's proclivity for smelting devotional objects of precious metals after a decent interval.

The custom of using miniatures as votive offerings accompanied the Spanish to the New World. Cortés allegedly carried votive ship pendants and ex-votos aboard his ship when he sailed forth from Cuba to conquer Mexico.

Priscilla Muller, author of *Jewels in Spain 1500–1800*, holds that Europeans possibly used zoomorphic pendants wrought in gold and jewels by native craftsmen in the Americas as ex-votos. For the Aztecs, frogs symbolized rain, while in Europe, frogs were a symbol for the resurrection, they were used as amulets to protect against the evil eye and they may have been invoked against the plague. Jeweled frog pendants became popular in Spain following the Conquest.

Ex-votos are occasionally mentioned in the chronicles of the post-Conquest period. Francisco de Florencia, a seventeenth Jesuit chronicler, relates that in 1692, the founder of *La Gaceta de México*, Juan María Ignacio de Castorena y Goyeneche Villareal y Ayala, commissioned a goldsmith to craft a golden tick set with a diamond that the publisher then hung on the robe of the Virgin of Los Lagos, whom he credited with the miraculous restoration of his hearing, a loss caused by a tick lodged in his ear.

In *Zodiaco mariano*, Juan Antonio Oviedo, the priest who completed Father Florencia's work on Marian images in Mexico, uses the term ex-voto to refer to votive paintings commemorating miracles as well as miniature effigy offerings. In discussing an image of the Virgin of Refugio installed in Zacatecas in 1746, he says "The aforementioned sacred image was placed on the high altar of the church of said college, and it stands entirely surrounded by silver votos—including bodies, feet, heads—which the faithful present to it out of devoutness, in acknowledgement of benefits received."

Ex-votos are frequently depicted in prints and paintings of the colonial era. A copper engraving (ca. 1615–1620) done by Samuel Stradanus aptly illustrates the curative powers of the image of Our Lady of Guadalupe which presided

Top: Ex-voto dedicated to El Señor de la Misericordia. 1898. Oil on metal. Museum of the Santuario de la Misericordia.

over the miraculous springs at Tepeyac. In the print, the Flemish style Guadalupe is surrounded by ex-voto panels that illustrate miracles attributed to her intercession as well as milagros of heads, an arm, a leg and hands above her, together with votive lamps.

A mid-seventeenth to mid-eighteenth century oil from Puebla depicting Our Lord of the Miracles shows the crucified Christ decorated with milagros.

A novena to the Most Miraculous Child of Our Lady of Atocha — as venerated in the Plateros Sanctuary of Fresnillo (Zacatecas) — published in Mexico City in 1882 by Murguía's widow and children directs the individual offering the ex-voto to place one milagro on the image for each of the nine days, together with "a different prayer every day, and a prayer to the Holy Mother, to thus have the petition fulfilled."

In Mexico, milagros have traditionally been found at specific churches that enshrine a holy image thought to be efficacious in helping effect miracles: Doctor Jesus in Tepeaca, Puebla; the Recumbent Christ in Magdalena, Sonora; Our Lady of San Juan de los Lagos, Jalisco; Our Lady of Ocotlán, Tlaxcala; and countless others. Many of these sites were important religious centers in preConquest times, visited by pilgrims from far and wide.

Images which reside in neighborhood chapels, hermitages or on home altars are often the recipients of milagros and other votive offerings, for a particular image of the Virgin or a saint may be considered as responsive to a petitioner's request as a more celebrated image.

Milagros are an integral part of what anthropologist Marion Oettinger Jr. terms "votive behavior" — the manner in which a petitioner makes a pact with a saint, promising to perform a specific private ritual in return for an answered prayer. This *promesa* (known along Mexico's northern border and in the U.S. Southwest as a *manda*) may involve a petitioner's promise to wear a medal or a penitent's clothing in the saint's honor, pray daily to the saint, name a child for the saint, make a donation of money, candles, jewelry or decorative items for the saint's altar, and, of course, present the saint with a milagro. In many areas of Mexico, masked dances are votive performances.

Saints who do not answer a petitioner's prayer may come in for punishment. The image might be turned to the wall or buried in a dung heap. A Saint Anthony or Saint Joseph's Christ-child will be taken away, and only given back when the saint "relents" and answers a prayer. According to Dr. Yvonne Lange, in Puerto Rico, it is not uncommon for images of Saint Expedito — patron saint of those who play the lottery — to be hung from the rafters by losers when the saint fails to produce winning numbers.

Vows are serious business. Puerto Rican folklorist Teodoro Vidal, author of *Los Milagros en Plata de Puerto Rico*, cites a popular *copla* that reminds the faithful that there can be consequences if one fails to fulfill a promise made to a saint: "He received his punishment/ So he'd not forget/ That when one makes a vow/ One must pay the debt."

Should a person die or become incapacitated before fulfilling a vow, tradition holds that the family is nonetheless obligated to see that someone does, as the devout take it as seriously as a financial debt. A visitor to La Villa in Mexico City today will often encounter pilgrims fulfilling their vows to the Virgin of Guadalupe. A barefoot Indian in the traditional clothing of a remote mountain village dances or plays a flute before Her altar; a woman crawls to the Basilica on her knees; a family kneels in prayer in front of the Virgin's image with gifts of flowers and candles; and a petitioner leaves a milagro that commemorates an answered prayer.

Today, the altar to a popular and miraculous image is likely to be decorated with a wide variety of personal mementos, in addition to newly-minted milagros: hospital bracelets, photos of loved ones, crutches, diplomas, soldiers' medals, keys, baby shoes and other modern-day objects. Near the shrine to Our Lord of Chalma, there is a miraculous *ahuehuétl* tree to which petitioners attach all manner of votive offerings, including small bags containing umbilical cords, given in thanks for the safe delivery of a baby. The abundance of votive offerings at pilgrimage sites today attests to the abiding popularity of vows among Catholics in the Hispanic world. A famous twentieth-century milagro is the golden effigy of a guerrilla fighter offered to Cuba's beloved Virgin of Caridad del Cobre by Lina Ruz, mother of Fidel Castro, allegedly in thanks for the Virgin's protection of her son during his campaign against Batista's forces in the Sierra Maestra.

Mass pilgrimages to popular shrines on specific dates also remain an important and vibrant part of Catholic life in Mexico, in rituals that may date back centuries, and in many cases, to pre-Conquest times.

The use of milagros as decorative elements in Mexico's churches is a widespread phenomenon not often seen in other parts of Latin America. Especially in popular pilgrimage sites in Mexico, the robes of an image of the Virgin, Christ or a saint will appear to be richly decorated with embroidery in metallic thread. On closer inspection, however, one can see that the design is actually composed of numerous silver or gold milagros arranged in a brocade-like floral pattern on the robe. Similarly, many decorative elements surrounding an image have been executed with milagros.

The dazzling altar retable in the Basilica of Our Lady of Ocotlán, Tlaxcala, constructed toward the end of the seventeenth century, is similarly adorned with these small testimonials to the Virgin's intercessory powers. Behind the 1.48-meter-high image of the Virgin encased in glass above the richly decorated main altar is a five-point silver star composed of thousands of silver and gold milagros; the image is flanked by flower urns also covered in milagros. In addition, below the Virgin's niche, four matching floral plaques sit atop the silver altar, their flat facades completely covered with silver and gold milagros. The effect is visually splendid, but more so if we remember that each tiny milagro may represent a miraculous cure or answered prayer.

Petitioners obtain their milagros in a variety of ways. In the past, the custom was to commission a local silversmith to craft a milagro. The petitioner would take discarded silver jewelry or coins to the silversmith and specify what type of milagro he or she required. The vow might even specify the weight and size of a mi-

This page and facing page: Jaled Muyaes. Holy image covered in milagros. n.d.

lagro—for example "a silver arm costing seven reales" might be offered by a man hoping for the healing of a broken arm. He might also ask the silversmith to engrave his initials on the finished product, or a simple G.R., for *gracias recibido*—"favor received." Some of these specially crafted milagros—either cut from silver or gold sheet or cast—were large, showy and splendid: a three-dimensional scale model of an hacienda home; a personalized human effigy with detailed clothing; a bed with a person on it; a realistic, life-sized insect; and so forth.

Often the milagro makes obvious the petitioner's request. The Ecuadorian milagro of three horses running alongside each other, with one labeled Domitila that is a neck in front of the others seems to indicate that the petitioner asked for celestial intercession in a horse race, won his bet, and thanked his saint with the custom-made milagro.

At other times, the petitioner's request is less obvious. A cloud milagro from Baja California appears to be a petition for rain, but who knows? Does a heart milagro mean a prayer involving an affair of the heart or that the donor suffered from cardiological problems? The exact meaning of a milagro is known only to the petitioner and, of course, his or her saint.

One-of-a-kind milagros are highly prized by folk art collectors, but they are very difficult to find. Because they were usually made of precious metals, the Church would melt them down after a decent interval and put the metal to another use. In his 1776 inventory of the churches of northern New Spain (present-day New Mexico), Father Atanasio Domínguez relates how Father Olaeta—shortly after his arrival in Taos—informed the mayor that he wished to convert the church's silver offerings into a silver ciborium and cruets for the Virgin's altar. Father Olaeta subsequently shipped silver medals, crosses and relic frames to Chihuahua for that purpose.

Sometimes, however, the church or a sacristan sold these finely-crafted special milagros to silversmiths for their bullion value, and in some cases, these have found their way to collectors rather than to the crucible.

Over the centuries, milagros have been a typical product of silversmiths' workshops in Mexico. Even today, village silversmiths and jewelers may have on hand a stock of milagros in the most frequently requested forms: heads, babies, arms, legs, eyes, hearts, praying figures. These milagros may have been cut from sheet metal or cast in silver or other metals. In Pátzcuaro, for example, the Cázares family of jewelers, though more well-known for their coral and silver fish necklaces, have long been a source of milagros for the local populace.

Milagros of other materials such as wax, bone, clay, cloth, paper and wood also sometimes appear on saints' images. In Cajititlán outside of Guadalajara—the site of devotion to the Three Kings—wax milagros are popular. In the state of Chiapas, one sometimes finds milagros carved of local amber, while in the seaside areas of Mexico, milagros made of black coral or tortoiseshell may be found on a saint. In recent times, plastic miniatures originally made as toys have served the faithful as milagros: a bus, a truck, a tiny cow, a horse, a baby. Traditional pot metal milagros have taken on contemporary themes and forms: sewing machines, motorcycles, lottery tickets, airplanes, books, radios, televisions and so forth.

In Mexico as in other Latin American countries, cottage industries have for some time supplied the market with mass-produced milagros in silver, lead, copper, brass and pot metal. Sometimes the milagros made of mundane metals have been washed with silver or gold to give them a richer look. In Mexico, the tiny, flat, one-sided cast milagros that one sees everywhere have changed little in form over the past century.

The traditional process of making these milagros was described by Jaled Muyaes, a metalworker and folklore collector, who for years was one of the principal vendors of folk art at the Saturday Bazaar in San Ángel, Mexico City. Some credit Muyaes with the creation of the ubiquitous milagro-studded crosses that have been so popular with tourists over the last two decades.

A rectangular box is filled with a paste made of kaolin (a white clay used in porcelain production), fine sand and used automotive oil. Formerly, the binding agent was rosin from a mesquite tree. Today, milagro makers sometimes use a paste made of cement and used automotive oil. The mixture is smoothed, and milagros are pressed into it to obtain an impression, then removed. With a nail or other implement, one draws a channel connecting the milagro impressions so that when molten metal is poured into the box, it flows from one to another. When the metal cools, the milagros are cut from their sprues and sometimes plated with silver or gold. Today the metal used is *latón* (pot metal). In earlier times, silver coins were smelted for this use.

These mass-produced milagros can be purchased from religious goods vendors' stalls in front of churches, in folk art shops, antique parlors, and from vendors at markets such as Mexico City's La Lagunilla, where they are sold by the kilo as well as by the piece. Although milagros are still used today in the traditional manner by persons of faith, they have also entered non-traditional markets. Beginning in the 1970s and possibly earlier, jewelers in Mexico such as Chato Castillo, Eduardo Dagache and Graciela Cárdenas helped popularize their use in jewelry, the milagros mimicking the use of charms in the traditional Indian necklaces of southern Mexico and Guatemala. In the United States, metalworkers Benadette and Oscar Caraveo and Beverly Penn, among others, use milagros in their jewelry. Contemporary artists throughout Latin America use milagros as cultural icons and reference points: Cuba's Zaida del Río, Bolivia's Guiomar Mesa, Mexico's Lourdes Almeida and a host of Chicano artists in the United States —Kathy Vargas, Cristina Cárdenas, Teresa Archuleta-Sagel, and many others.

In the United States, the appeal of milagros to those involved in the healing arts is resulting in new uses for these ancient icons. In San Antonio, the new Texas Diabetes Institute uses graphic images of foot, heart and eye milagros in its promotional materials. In Connecticut, artists Ana Flores and Melinda Bridgman hold workshops to assist people confronting serious illnesses; participants construct milagros in clay that represent the disease affecting them and hang them in small shrines or niches.

The new contexts for milagros demonstrate the universal and timeless appeal of these ancient emblems of faith. While the use of milagros is considered obsolete in many parts of Latin America, and many orthodox Christians deride the use of votive offerings as a pagan and outmoded practice, others in the Hispanic world embrace them as meaningful and powerful icons of faith and cultural identity. ⊕

LIQUID ALLIANCES
MARITIME VOTIVE ART
MARION OETTINGER, JR.

The power of fifteenth and sixteenth century Spain was upheld largely through mastering activities associated with water—naval superiority, the establishment and maintenance of important maritime trade routes and exploitation of the ocean's natural resources. But the sea was also fraught with perils—attack from hostile naval forces and piracy, disastrous storms, and other catastrophes. Mariners often had a powerful recourse for dealing with such calamities—by invoking the powers of the saints and other members of the spirit world capable of performing miracles.

Among the most interesting, but most overlooked, manifestations of votive expression are those associated with seafaring. In many parts of coastal Spain and Latin America, one still finds special chapels and sanctuaries adorned with ship models and paintings offered by devout sailors and fishermen in anticipation of dangerous trips and unpredictable fishing expeditions. Others have made their gifts in appreciation of an abundant sea harvest and miraculous interventions during crises. In some chapels, fishermen have left hand-wrought likenesses of fish in silver or wood. Others have left bits of sail or oars, leftovers from shipwrecks which would have claimed their lives had it not been for miraculous spiritual intervention.

Among the most interesting examples of maritime ex-votos are those hanging in the eighteenth-century sanctuary dedicated to Our Lady of Vinyet in Sitges, a charming seaside resort about thirty minutes by train south of Barcelona. Here, over several hundred years, fishermen, sea merchants, naval officers and others have given thanks for favors received and disasters averted by offering miniature ships to the Virgin as visible proof of her power. There are about twenty-five of these interesting vessels, rendered in great detail, often showing precise elements of ships' rigging, sails and decorative elements. The earliest examples on view are from the eighteenth century, and the most recent—a cargo ship—is dated 1984. Other important Spanish shrines displaying maritime votive art include Our Lady of the Boat (Mugía, Galicia) and San Juan de Gaztelugache (Bermeo, Basque Country). In the popular sanctuary Our Lady the Boatwoman (San Vicente, Cantabria), a beautifully detailed votive ship suspended from the ceiling greets visitors as they enter the main portal. In addition, bas-relief wood carvings of fishermen offering fish and shellfish to the Virgin flank the tabernacle on the main altar. Throughout this impressive structure, maritime design motifs on the pews, kneelers and ceilings remind the congregation of the importance of this sacred place to the well-being of those whose lives resolve around the sea.

Some of these boats have been presented by individual fishermen or sailors. Others represent the gratitude of whole crews. In the case of the beautifully crafted and gilt ship hanging from the ceiling in the Basilica of Guadalupe in Extremadura, the offering comes from the entire Spanish Navy.

Maritime votive art is also Pan-American, and fascinating examples can easily be found in villages of coastal Peru, Venezuela, Brazil, Mexico, countries of the Caribbean and most other parts of Latin America. In Mexico, as elsewhere, it takes the form of model ships or painted testimonials, often accompanied by texts providing dates, names of devotees, and details of miraculous occurrences. Most are found in shrines with established reputations related to activities of the sea, and many are attached to ceilings and walls near specific saints.

Apparently, maritime votive art was abundant in colonial Mexico, but few examples have survived to this day. In the sixteenth-century Church of the As- sumption in Tlacolula, Oaxaca, a model of a colonial period Spanish galleon still hangs from the choir railing as a testament to the miraculous intervention of Our Lord of Tlacolula leading to a Spanish victory over English buccaneers. One of the most impressive examples of maritime votive art in Mexico is located just up the hill from the Basilica of the Virgin of Guadalupe. Known as La Vela del Marino, this nearly life-size representation of a colonial-period ship towers over millions of pilgrims who visit the shrine annually. It is a dramatic reminder of the power of the Virgin to protect the lives of those who place faith in her. Containing the actual mast of the fatal ship, this re-creation stands over eight meters tall.

In present-day Tabasco, votive ships are offered by grateful fishermen who have escaped crises at sea and others who survived the tragedies of local flooding. In San Francisco Tumulté, several dozen model ships have been hung from the ceiling of the nave of the principal church, testifying to the miraculous intervention of Saint Francis. They are shrimpers, tankers and mail boats bearing such names as *Siete Mares* (Seven Seas), *El Camaronero* (The Shrimper) and *Correo de Tabasco* (Tabasco Mail). Most are about half-a-meter long, made of wood, and realistically represent specific vessels. Many are wired for electricity and have red lights attached to the mast or bow. Others have small plastic human effigies tied to the deck or dangling precariously from a cross-tie. Most of these ships appear to date from the middle of the twentieth century. More recent offerings from the 1980s include a ship-in-a-bottle made from a kit, a hand-carved wooden fish and maritime paintings on black velvet.

The nearby village of San Antonio Buenavista, located near the banks of the Grijalva River, also displays votive ships in its modest mid-twentieth-century church. Amidst banners of decoratively cut paper and plastic flowers, fishing boats, mail boats and other seagoing vessels dangle

Top: Various ex-votos. Eighteenth and nineteenth centuries. Oil on metal. Collection of Ruth D. Lechuga.

from the rafters, testifying to the power of Saint Anthony to intervene successfully in times of crises. Some bear written declarations on their sides, such as "To the Lord Saint Anthony of Padua, a Promise from Rosa María Valencia." Mexican maritime votive art, rooted in the popular expression of Spain but with a character all its own, is today a vibrant example of devotional folk art. Through it, we are able to understand more clearly the spiritual lives of those who sought their fortune at sea. In addition, it provides us with valuable information on past and present ship construction, nautical devices and maritime dress. It also gives us exciting, often dramatic, examples of catastrophic events and episodes and shows how populations responded to them culturally. ⊕

AESTHETIC ALLIANCES
THE RETABLOS OF HERMENEGILDO BUSTOS
JORGE DURAND

A retablo done by the painter Hermenegildo Bustos at the age of twenty — which reads, "On May fifth, Dionicio Servantes, who was serving at a large house at the time, went to feed the dog of the house who attacked him leaving him with fourteen wounds. This happened in Silao. Pascual Aceves Barajas, 1956" — marked the beginning of his long career in the art of satisfying the needs of the faithful, who were eager to make offerings in return for having been granted their prayers. From this moment on over a period of more than fifty years — from 1852-1906, the year before his death — Bustos painted no fewer then sixty retablos (or ex-votos) which the population of Rincón de Guanajuato and a few other neighboring towns hung in churches and at least one sanctuary in Jalisco. Bustos is most famous for his portraits, a medium in which he was the unsurpassable master. His unquestionable talent allowed him to squander his artistry on

supposedly "minor" works such as ex-votos, which in fact form an important part of his portraits. Perhaps this is why his retablos are always exhibited alongside other paintings which are considered his masterworks.

In the mid-ninteenth Century, ex-votos were at the height of their popularity and splendor and were a standard devotional practice in the central-west region of Mexico, especially in the states of Guanajuato, Jalisco, Zacatecas and San Luis Potosí. In these rural states whose population was predominantly of Hispanic origin and Creole and Mestizo traditions, retablos became established as one of the most common popular religious expressions.

Bustos' earliest known work is a canvas dating from 1850 and the second, dated two years later, is painted on tinplate. For two decades, between 1850 and 1870, the painter alternated between these two mediums, but from 1884 onward his preference for tinplate became apparent. It was no coincidence, therefore, that in 1882, trains leaving from San Francisquito Station connected for the first time with the neighboring towns of Purísima and León, the latter being a town where all kinds of national and international industrial novelties could be found. He painted his retablos exclusively on tinplate and they came in two sizes, either 5 x 7 or 7 x 10 ins. Bustos' retablos, today famous and much sought after, had a modest origin and were commissioned by people of humble background. They were nevertheless professional works which could be had for a price. A distinguishing feature of his retablos is that their texts and images identified the donor in great detail — that is, the person whose fervent prayers brought about the miracle, who was not necessarily the miracle's beneficiary.

Although Bustos enjoyed a very long career as a painter, from the mid-nineteenth century until the first decade of the twentieth, the geographical area in which he worked was very restricted. A large number of his retablos were dedicated to lo-

cal saints in the microregion of Rincón: Lord of la Columna, Lord of Esquipulas, Lord of Sacromonte, worshipped in the churches of Purísima del Rincón; the Virgin of Guadalupe in the local church of San Francisco del Rincón; and the Holy Virgin of the Chapel of the Hacienda del Comedero in Los Altos de Jalisco. Besides these churches, Bustos responded to the large demand for ex-votos in the nearest and most important shrine in the region — San Juan de los Lagos, in Los Altos de Jalisco, seat of the important colonial town fair and the famed Virgin to which people from all over the states of Guanajuato and Jalisco are especially devoted. His ex-votos — which specify the place of origin of the supplicant — serve as an accurate map of his prestige within the region. As well as the faithful of Purísima del Rincón, where he was born and lived, others came to him from the neighboring town of San Francisco del Rincón which lay three kilometers away, and from nearby ranches and haciendas, namely the ranches of San Roque de Torres, Ojo de Agua, San Bernardo, Mezquitillo, el Palenque, the Santiago train station and the haciendas El Comedor and El Tanque. It is believed that other retablos were ordered from further afield — Villa de la Unión in Los Altos de Jalisco; Silao, Guanajuato; and Cuitzeo de Abasolo (today Abasolo) on the outskirts of Pénjamo, Guanajuato. Aside from any professional and financial benefits, Bustos clearly felt a special attachment to his retablo work. Although he was the sacristan of the church in Purísima, he had a fascination for what we would call today folk religion. His dramatization of the Passion for Holy Week celebrations is well known. The farcical battalion, the Roman soldiers, Judas running incessantly around the town, all still wear the uniforms and masks designed by Hermenegildo Bustos.

Retablos are an integral part of folk religious practice, independent from the official Church. Listening to Juana Robles who in 1902 was afflicted by tenesmus, the

Top: Various ex-votos. Twentieth century. Oil on metal. Collection of Ruth D. Lechuga.

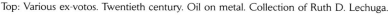

En el rancho de ojo de agua, el 24 de Agosto de 1902. Don Sidronio Moreno, andando trabajando en la yunta, tropezó; y calló para atrás: resultó quebrado de la puentecita del lado izquierdo, le rebentó llaga: el cirujano le sacó 7 astillas de huesitos: se vió grave...y en este tiempo su hermana no cesó de encomendarlo a Mª SSma. de San Juan...quedando en poco tiempo perfectamente sano.

soapmaker Pedro de la Rosa who for twenty-seven years found "no pleasure in human things," or little Mercedes Calvillo who at the turn of the century "suffered from unhealthy bowel movements for four months" must have made Bustos feel quite at ease, with no false or true modesties to confront. After hearing their tales, Bustos would ask his clients to recount the miracle while he took detailed notes and sketched their expressions. He did not need to sign his work, nor to stipulate that he was an "amateur" painter, nor prove himself in any way. The local population and that of the entire region, and he himself knew that he could paint anyone's portrait in seconds. After carefully sketching his subjects in pencil — in several works these sketches are still visible — the rest was simple, almost mechanical for him.

In general, his retablos are quite small, vertically positioned and painted on a blue-gray background. They are composed in the traditional Mediterranean ex-votos style, in three spatial fields. The first portrays the miracle; in the second, either the donor appears giving thanks or else the events are represented; and finally the third consists of the text describing the events that preceded the miracle.

However, what renders a Bustos retablo unique is the quality of the portraits and the composition of the text.

In Bustos' retablos, the holy image is invariably placed in the upper part of the picture, held up by a white cloud with blurred edges. Its position varies, being placed on the right, on the left or in the center, depending on the composition (when two people are portrayed in the retablo, the image is usually in the center). The reason for this is to emphasize the thankful gaze directed at the holy figure. The delicate brushstrokes with which he rendered the holy images were an exercise in miniaturist work, but they varied little. In fact, the people of Rincón can tell a genuine Bustos retablo just by its holy image.

The individual or a representation of the miraculous deed occupies the upper central part of the picture. In most cases, Bustos used the classic image of thanksgiving, in which the person is seen kneeling. His ex-votos rarely show the miraculous deed, perhaps due to his awareness of his weak point — perspective. He seldom attempted to paint in perspective and this is perhaps why he preferred to paint the invalid lying on the floor rather than risking the complications of painting a bed. The lack of perspective is however richly compensated for by his unique and distinct faces. He painted identifiable individuals with detailed features — precise skin tone, hair, nose, mouth, forehead, expression and clothing.

It is therefore possible to make out the indigenous features of his subjects, the prominent cheek bones and almond-shaped eyes that characterize the people of the Guanajuato lowlands, as well as features of the fair-skinned and bearded men of the Jalisco highlands. These racial and cultural opposites are both found in the region in which he worked. His clients can also be recognized or classified by their clothing: from farmers in sandals, trousers, sashes, bandannas and sombrerosm, to bejeweled women and wealthy men in suits, shoes, white shirts and bow ties, marking the social differences that existed in the rural world during the Porfirio Díaz years. However, Bustos' portraits and retablos also reveal a society in which a proud mesitazaje existed, where people enjoyed both being painted and being seen.

The lower part of the retablo was reserved for the text, where dates, names, places, prayers and events were recorded. Bustos would usually start his texts in a style reminiscent of the *corrido* — a ballad common to northern Mexico: "In the small town of San Francisco del Rincón, in the month of February of 1890…" or, "In the month of December of 1900, little Mercedes…" It is well known that Bustos was an obsessive observer. He would demand precise details from his clients on their place of origin, the exact moment and circumstances of the miracle, and he would ask for a detailed description of their suffering or the event: "…leaving him with fourteen wounds." So important was the text to him, that if he realized he was running out of space to finish the tale, he would simply write smaller so as to not cut the description short. As such, his retablos brim with ethnographic information on the sorrows and joys of the population of this small region.

Another distinguishing feature is the narrative style. He presents the events dramatically, accompanied by small doses of humor. His use of punctuation — an abundance of suspension points and colons — attempts to emphasize anguish and hope and to create suspense: "At the Ojo de Agua ranch, on August 24, 1902, Sidronio Moreno, working with his team of oxen, tripped; and fell over backward: breaking his left side, it opened…a wound: the surgeon removed seven bone splinters: it looked serious…and during this time his sister prayed ceaselessly to the Holy Virgin of San Juan…and in a short time he was perfectly healthy again." That same year, on "February 2, 1902, in Purísima del Rincón, Francisco Martines was arrested: and like a stone thrown into a well…and for two years no one spoke of him, since his sentence was very long: his aunt Blanca Martinez never stopped praying to the Holy Virgin of San Juan….and that is why…when he least expected it…he was freed. And in eternal gratitude…I dedicate this retablo to Her…."

Bustos' handwriting varied over time. In his earliest works, he used cursive writing and later printed. But the transition was gradual and at times both types of handwriting appear in the same text. The lack of consistency can be partially explained by the fact that the artist used his brush to write with. The change in styles is most clearly seen in his two most spectacular retablo-portraits: one from Zenón Parra dated 1858 and the other of María Eduarda González dated 1865. From 1865 on, Bustos stuck to printing.

The formal structure of his ex-votos, however, does not vary. From the outset, Bustos respected the axioms of European ex-votos. In fact, he unintentionally subscribed to the most ancient tradition of the painted ex-voto: painted offerings, works which demanded artists produce the most faithful depiction of their clients possible. Bustos' retablos are in fact miniature portraits of a population of humble origin: sick people suffering from ulcers, colds and pneumonia; convicts and the insane; people bitten by dogs, people injured; anguished pregnant women; men who have been shot or stabbed. This population was graced not only because its members were

Top: Ex-voto dedicated to María Santísima de San Juan. 1902. Oil on metal. Durand-Arias Collection.

relieved of their woes and sorrows but also because they had the fortune to be models for the most humble and illustrious Mexican portrait artist. ⊕ *Translated by Isabella Radcliffe.*

ALLIANCES OF VIOLENCE
A "REV⊕LU+I⊕NARIED" S⊕CIE+Y
PATRICIA ARIAS AND JORGE DURAND

In the mid-nineteenth century a new topic burst into the thematic universe of ex-votos: social violence. And understandably so. The political turbulence dividing and devastating the country was a new, compelling motive for people to be left with their hearts in their mouths—as much as or more so than the innumerable sicknesses and accidents affecting people and animals which were the events traditionally represented in votive offerings during colonial times. The violence ravaging the rural areas, in particular, where the majority of the population lived, was expressed by an extraordinary abundance of ex-votos during the period from 1850 to 1870 and was related to three situations that had a critical impact on people. First, the enlistment of men—especially young men—in the army or some other armed faction. The separation of these young men from their parents, wives and children became an immediate detonator of anguish especially for their wives and at times for their parents. In societies where people's mobility was limited, any travel—whether forced or voluntary—could become a journey into uncertainty, even though the destination was in fact not very far away. This is what happened in Tepatitlán "in the month of December of 1858…[to] Luz García…[who] joined the *federales*" and was immediately sent to Silao, where his mother went to look for him after an absence of more than a year. Shortly after, in the same microregion of Jalisco, "on the third of December of 1861…[Valentín Mondragón] was taken away to join the army…and his mother commended him to Our Lord of Mercy, and he returned safely…." Mothers, fathers and wives, anguished by the absences, suffered from the additional fear that, if left unprotected, their family members could fall victim to some misfortune in the military maneuvers in which they were forced to participate as soldiers. One wife related that "…in the month of August of 1860, Albino Sánchez, having been recruited by the *federales*, experienced a number of incidents of war and was not allowed to leave military quarters, however his wife beseeched Our Lord of Mercy, and he had the fortune of regaining his freedom…."

The second theme portrayed in the ex-votos of that time was the social instability that had become a breeding ground for the proliferation of bandits, gangs, thieves and kidnappers whose acts of violence made any journey on any road or path a risky one. "On the twenty-fourth of August of 1867 it so happened that Trinidad Macías, in the company of a girl, Inés Macías, and a woman, Esmerejilda Villalobos, were assaulted as they returned from the port of Chilarillo, by a group of bandits who fired eleven shots, however they were not harmed, thanks to the intercession of Holy Mary of San Juan who was invoked by the woman…from the depths of her heart…."
Finally, there are ex-votos—from men, in particular—expressing their gratitude for having escaped harm in some battle or incident in military life. Gloria F. Giffords has salvaged two exemplary retablos, one from the soldier Lucas Hernández who, though he was wounded and fled, managed to survive a confrontation between French troops and the "Aguascalientes resistance" in 1864; and the other from Captain Pánfilo Robledo who, thanks to an intercession by the Lord of Sacromonte, came out of a court-martial scot-free.
Usually, the rhetoric of the "revolutionaried"—people affected by the revolution—is repeated in this votive theme. However, there is a truly unique ex-voto which demonstrates the general public's knowledge regarding what was being debated among the various factions—debates in which they took sides, even though they were removed from the great disputes. This retablo is even more unusual since it involves women. In 1859 Lugarda Banegas and her mother presented Our Lord of Mercy with a retablo that told about how they had refused to follow Doña Lugarda's husband who was part of a band that prowled around the region, because they "knew what side they were on, and knew it wasn't the best for them…."
The relative profusion of retablos referring to the social violence of the mid-nineteenth century contrasts with the scarcity of votive material found in sanctuaries corresponding to two key moments in twentieth-century social history: the 1910 Revolution and the Cristero war (1926-1929). The epicenter of the latter was precisely in the western part of the country—historically the most prolific region in terms of the production of painted ex-votos. But in all the churches studied to date, we have only found two ex-votos corresponding to the 1910 Revolution, both from Mexico City and both dedicated to the Virgin of Guadalupe. One refers explicitly to an event of the war: "Marina

Sánchez and Félix Uribe dedicate this retablo to the Holy Virgin of Guadalupe who saved them when held prisoner by General Obregón's troops…."
In the case of the other ex-voto, we know it is from the revolutionary era because of the date and the name of the military official mentioned. It involves a disciplinary incident within the same faction, however. In 1915 María Montaño de V. recounted, "My son José…was a soldier in Mexico City…because of something insignificant, he became violently angry with his superior General Reyes…he sentenced him to prison in Yucatán; without having been arrested, he was taken by train in the company of other officers and without any hope of being released; but with all my heart I asked Holy Mary of Guadalupe to grant his freedom and miraculously…three days later, he returned to Mexico City and was free. As a testimony to my gratitude, I present this retablo…."
There may be a simple reason explaining, at least partially, why there are so few examples of this type of retablo. In the world of art collecting, ex-votos with a social or political theme—especially those that graphically reconstructed events—are highly valued. This could have led to their rapid disappearance from sanctuaries to later reappear in private galleries and homes. The relative abundance of this type of retablo in exhibitions and publications testifies to this probability. Another reason, especially in the case of the Cristero war, could be that in the turbulent atmosphere of those times, people were not likely to offer retablos in gratitude for feats and miracles that could unleash the fury of the federales who were combing insurgent communities searching for rebels.
Or perhaps it happened in a subtle way. In Tepatitlán, the center of intense military activity during the Cristero era, there is

Ex-voto dedicated to Nuestra Señora de San Juan de los Lagos. 1940. Oil on metal. Durand-Arias Collection.

HavienDo PartiDo Para Los estaDos uniDos Delnorte con Hijo
Manuel Ortiz S.. Aclame al Señor De la compuesta para
que Por su intercesion. mi Hijo llegara con bien al otro
Lado y que no le falte Trabajo, Haviendose escuchado
mi suplica Doy Gracias a Dios y al Señor De la
Compuista. DeDicanDo este RecuerDo
(Virjinia Solano V.)

an ex-voto (without the date or place given) in which a woman identifying herself only with the initials "J. J." went to Tepatitlán to give "thanks to Our Lord of Mercy for having saved him from dying riddled with bullets…." In the graphic there is a man who, because of the way he is dressed, gives the impression of being a rebel or revolutionary. Another ex-voto, dedicated to Our Lord of Chalma and dated 1929, could possibly be related to the wave of fighting sparked by the Cristero conflict. The inscription reads "On the twenty-second of April of 1929 Mr. José Duarte was being held prisoner and was going to be banished, he was commended to Our Lord of Chalma and with his freedom regained, he dedicates this as an act of gratitude…."

The impact of both wars was captured—indirectly, perhaps—by two other ex-voto modalities. First, are those referring to accidents involving the brand new railway that boosted Porfirio Díaz's power and at the same time served to mobilize the forces that destroyed it. Such misfortunes were often related to some kind of military action. The western central region of the country, unquestionably the region with the greatest railroad infrastructure, witnessed not only the unceasing passing of troops, boarding, disembarking, in retreat, but also derailments and train assaults, which were as spectacular as they were dramatic. An ex-voto of 1920 relates the hardships experienced by passengers of a train derailed near San Juan de los Lagos, Jalisco "by revolutionaries from one side or another."

Ex-votos portraying recovery from some kind of illness, such as the dreaded Spanish influenza, show that the Revolution was the scourge of a country already decimated by years of violence, fear and hunger, especially hunger. Thus it is not surprising that "…in the year 1918 in the month of October, the period during which the terrible influenza plague ravaged a number of areas around the country, the Machuca family…[was affected] by the same illness…Our Lord of San Juan was appealed to, with the promise of this retablo in exchange for restoring their health…Jaral de Berrio, December of 1918…."

Evidence of social violence can still be found in the retablos of the 1940s: for the return of "prisoners of the federales;" for having managed to escape the "death penalty;" because of an act of violence committed by a lone soldier who had turned into an assailant. But this became less and less common. From that time on, ex-voto motifs returned to the traditional themes of illnesses and accidents to some degree, but they also began to reflect, and increasingly so, the new and infinite sources of anguish among rural people who were leaving their homes behind. Those who went to work in the fields of Texas and California experienced endless hardships both during the journey and once there, while working. And then there were the health problems, traffic accidents and job difficulties suffered by those who moved to the cities that were quickly becoming Mexico's largest urban areas. All of these situations were reasons to be sad and worried, but also optimistic and grateful, as we see through these images, so fiercely entrenched in the rural world, where the votive tradition continues to be more deeply rooted than anywhere else—a tradition that has accompanied the changing agonies of the people of Mexico for centuries. ⊕ *Translated by Jana Schroeder.*

EXPLICIT ALLIANCES
WORDS, IMAGES AND SILENCES
PATRICIA ARIAS

Confused and crowded together with many other women like her, Doña Eustolia entered the chapel of the Virgin of San Juan de los Lagos just as she had promised one day at the beginning of February, on the feast of Candlemas. Once inside, she took her time to admire and read the moving and amazing miracles recounted by all the ex-votos and milagros, photographs, micas and certificates. After she had read them all, she opened her bag and took out a small painted ex-voto which she placed in her chosen spot, well lit and highly visible. Thankful and happy, she left the chapel and joined her husband to attend Mass at the Basilica. They ate at one of the colorful small restaurants emitting good smells into the plaza, bought some sweets and souvenirs of the Virgin for their neighbors and relations and then set off for the station to take the bus back to their neighborhood in Guadalajara. The motif on Doña Eustolia's ex-voto was absolutely contemporary and urban; yet her actions were ages old.

Since colonial times, women have learned to resort to shrines and to the language of the ex-voto to ask for favors and to give thanks for the "miracles" that, now as then, have helped alleviate their fears, disagreements, absences and insecurities. Devotion to a particular image of the Virgin can be seen as a kind of inheritance that is passed down from one generation to another: "my mother told me she had entrusted me to her." The ex-voto can been seen as a privileged cultural space which allows women to express their feelings, sorrows and longing.

The motifs of these ex-votos commissioned by women have changed over the years and they naturally vary according to different traditions and regional transitions which feed the numbers of worshippers at each shrine. Despite this, ex-votos remain an intimate and sincere expression of female concerns throughout history. Clearly, their narrative has to be taken as a coded history in which there are matters women have always been able to talk about freely, and others which they haven't. They reveal the changing silences within society, and their images and omissions tell more than words could.

What appears to be a constant throughout history and among the different shrines, is women's concern for the wellbeing of others, referring principally to the men closely related to them. Mother's concern for their sons is the most important manifestation of this. Women worry about their children from the time they are young, when they are sick, lost or have accidents, but their concern increases from the moment a child leaves home: "Mrs. Merejila Barreto's son has gone north. She entrusted him to the care of Our Lord of Miracles to intercede for his wellbeing." Motifs composed by women relate above all to five different scenarios associated with the dangers their children face once they leave home, move or emigrate somewhere new, which can lead to long unbearable periods of absence and silence. For example, Macedonia Nava lost her son on May 8, 1915 and had to wait six long years before he got in touch with her again from Sonora. Josefina Hernández must have experienced the same anguish and joy when her children were "returned" to her after "they had been lost to

Top: Ex-voto dedicated to El Señor de la Conquista. n.d. Oil on metal. Durand-Arias Collection.

vice"—in other words, when they stopped drinking, another recurrent cause for maternal anguish. Mothers refrain from judging their sons and the mistakes which lead them to prison—what is important is that their sentence be reduced or that they be released. For Tomasa Medina, the fact that her son Jesús's sentence was reduced from five years to a month and a half in the prison of Pino, Zacatecas, was reason enough for an ex-voto.

Another theme of misfortune seen again and again is the unwelcome union of the son with an undesirable woman, a situation which, according to the mother, can only be resolved by separation. Esperanza Carreón was eternally grateful to Our Lord of the Conquest when her son José finally split up with "a bad woman who was doing him harm." Nevertheless, mothers' most constant concerns refer to unforeseeable incidents which can turn into tragedies. Nineteenth-century mothers lived in a constant state of anxiety due to enforced military conscription by federal soldiers who in the blink of an eye would whisk their sons away from them. Balentín Modrigón experienced this on December 3, 1862 when "they rounded him up to be a soldier and his mother entrusted him to our Lord of Mercy and he was returned without incident." The problems and accidents arising from social conflicts and tension have been visible in ex-votos since the last century when violence was part of rural life. This fear of violence grew during the 1910 Revolution. During this period mothers would give thanks for "having spared him from dying from bullet wounds." María del Refugio Castro gave thanks that her son had been spared after receiving four bullet wounds as he was attempting to cross the Rio Grande at Ciudad Juárez.

Personal accidents and the resulting ex-votos are a clear indication of the different dangers and hazards faced in rural and urban areas. The best example of this can be seen at the shrine of Our Lord of Chalma, near Mexico City—which was the inevitable destination of the first major migratory wave within the country. Up until the 1940s, accidents commonly portrayed in retablos were due to falls from carts or carriages, animals that dragged, threw, crushed or knocked down people. From the 1950s on, when traffic in cities and on the roads was still a dangerous novelty, new kinds of accidents began to occur—people were hit by streetcars, automobiles, buses and trucks, or suffered spectacular accidents on U.S. highways or on the Mexico City metro.

The intense and persistent concern shown by mothers for the wellbeing of their sons

is seldom returned. Very few sons pray or give thanks for their mothers. Their interests can sometimes be found hidden in family ex-votos, but this type of offering is fairly uncommon. The majority of ex-votos commissioned by men are concerned primarily with their own personal matters, and the rest tend to be for their wives and children, even though these are much less frequent.

The second major concern women manifest is for the fate of their partners from the time they begin their life together. Very few ex-votos allude to the prior relationship. Carmen Soto, whose ex-voto gives thanks for her "having been granted my wish of marrying the man who is now my husband," is a contemporary exception to the rule. Marital tensions are couched in language which speaks of the family, and omits any detail: "I am infinitely thankful to Our Lord of Villaseca for having made me return to my husband and children;" "for miraculously solving my family problems." Women talk more freely about matters that threaten family life and wellbeing, such as imprisonment—Ascensión Acosta, for example, was glad when her husband's sentence "was reduced by four years." Equally common are ex-votos referring to accidents, chronic illnesses such as alcoholism, or the stress of finding work, as in the case of Ofelia Barrón who had an ex-voto made when her husband finally got a job. The urgent need for male members of the family to find work is sometimes portrayed quite explicitly. In 1958, when the bracero program of immigrant labor contracts still existed in the U.S., Juana Salcedo was desperate for her husband, who had gone to Empalme, Sonora, to find work there since they were in serious debt.

Another ex-voto theme which appears frequently is that dealing with the sister-brother relationship. In this case, it is usually the sister who will pray and give thanks for her brother when he finds himself in trouble, if he has been arrested or is suffering from a particular chronic disease or serious illness. Victoriana González, for example, had been so worried about her brother's "state of madness" that she took a retablo to the Virgin of Talpa when she "conceded health to my brother Concepción."

However, women also give thanks for favors they themselves are granted by the saints they honor, primarily for recovery from illness. Today, as in the past, retablos allow sick women not only to speak of their illnesses, but also to talk at length and in dramatic and repeated detail about their symptoms and remedies: "I couldn't get out of bed, I was suffering from a kind

of gangrene on both my legs, they leaked water and a lot of blood and I had holes in my skin." These descriptions are naturally very popular and are discussed at length by others who read the retablos. Ex-votos are offered for recovery from "the illness of child birth," especially after a difficult labor, which was common in the nineteenth century. In Apolonia Orozco's case, giving birth in 1857 was a "near-death" experience. Although it is common to come across nineteenth century retablos that speak of contagious diseases and epidemics such as cholera, scarlet fever, leprosy, pneumonia or smallpox, other more vague discomforts such as "a pain in my side," "severe irritation," "terrible" or "malignant sores," "straining" and "gripe" are also mentioned. Today's retablos reveal different symptoms—thanks is given for "sparing me from an operation," for successful operations, for curing "my nerves," angina, pneumonia, heart conditions and most recently, cancer. Nevertheless, unclassifiable diseases are still recorded, such as "a flood of bile in one lung." Retablos would also be offered in thanks for curing contagious or socially unacceptable illnesses such as leprosy in the nineteenth century, or warts "which made me so ashamed."

However the most common ills recorded in ex-votos refer to the female condition. The ex-voto is a form of expression which has allowed women to speak unashamedly about their private illnesses by their proper names—for example "tumors on the ovaries." Despite this, many women have preferred to use a more discreet, coded language, such as "a serious ailment," "a secret illness" or "an internal illness."

One source of anxiety for women throughout the first half of the twenti-

Top: Ex-voto dedicated to the Santísima Virgen de San Juan de los Lagos. 1954. Oil on metal. Durand-Arias Collection

93

eth century, when people still lived in the countryside and received most of their income from agricultural labor, was that their animals remain healthy and fertile. They prayed that their cows, calves and lambs would not "catch...some disease," but most of all, they prayed for their pigs, since it was common for women to raise pigs in their yards. It was crucial for a woman like Encarnación Ramírez, for example, that her sow recover and bear piglets, since this would guarantee a permanent cash income.

Women show a strong interest in the home as a property. This concern often arose when families moved from the countryside to towns, at a time when the

task of securing a new space in the city became a priority for working-class families. They pleaded for "the grace of having my own house" and gave thanks for "not having been thrown out of the house I live in," for "having saved my house from a fire," for "granting me my own house when this had seemed impossible," for "having helped me save my children's home," or for having resolved family strife "due to the ownership of the house." Not surprisingly, miracles that allow debts to be paid off often go hand-in-hand with this need to assure a living space. Ex-votos are offered to give thanks "for having saved my house from such a large debt" or "for having miraculously paid for my house." However, ex-votos mentioning new forms of financing that today are a vital part of lower-class family incomes have also

started to appear, such as the case of Beatriz Castrejón, who shows concern for "problems with the *tanda* (work gang) I organized."

Legal problems and imprisonment are another subject women talk about in their ex-votos. Despite the fact that they, like men, will usually claim that the imprisonment was "unfair" or for a "false crime," or that they have been "victims of slander," ex-votos have nevertheless allowed them to talk freely of these matters over the ages. Anastasia Gómez was very grateful to Our Lord of Villaseca for having "released her from prison within twenty days." On the other hand, one topic that has now disappeared from ex-votos is domestic violence. In the 1930s and up to the 1960s, the subject was mentioned in a surprisingly open way, and the images certainly left no room for doubt about what had happened. In 1934, Antonia Parga was saved "from being thrown into the river by my husband: when I realized the danger I was in, I grabbed onto him so that if I were to fall he would come with me. But by invoking the miraculous Child I managed to make him repent." In 1953, Paula García "escaped a mortal blow from her husband" who in the retablo is seen about to hit her with a log of massive dimensions while she kneels before him pleading. Ex-votos that deal with domestic violence or with clear attempts of murder by spouses, as in the latter two cases, include detailed information about the aggression, names, places and dates. Why, then, did women stop elaborating ex-votos that revealed this turbulent world of conflictive marital relationships which, today as in the past, remain burning, unresolved social issues? It is a fact that contemporary ex-votos found in shrines in or near cities no longer recount incidents of domestic violence against women. This clearly does not suggest that violence has been eradicated but rather, reflects a change in how it is perceived in society. In other words, from the time it became widely known that domestic violence was a punishable offense, women were pressed into no longer talking openly about the subject. It appears that it was above all from the beginning of urban development that abused women grew silent or that talk of the subject was stifled, since domestic violence carried legal consequences in cities which it did not in the countryside.

There are, on the the other hand, three new subjects — prostitution, drug addiction and youth gangs — that are beginning to appear in ex-votos offered by women. It is above all their graphic language that makes these modern ex-votos meaning-

ful and explicit and allows for a full understanding of the texts. María Dolores Brenes gives thanks to the Virgin of Talpa "for having spared me from being shot to death" in the cantina where she was clearly working as a prostitute at the time she was wounded. Doña Agustina prefers to refer to the profession as "a nasty vice" taken up by her overly made-up and provocatively dressed daughter, as explicitly illustrated in the ex-voto she had made when her daughter was "cured."

It can be said, therefore, that despite everything, from the nineteenth century on, women have been able to introduce issues and, above all, a different perspective into the dominant narrative — the apparently narrow thematic universe considered acceptable to the Church and family for use in ex-votos. Within the enclosed and restricted space of shrines, women have been able to gradually add new issues and images to the accepted and standard subjects of illness and accidents, where they appear submissive and hopeful, subject to fate and the whims of nature, and generally portrayed in enclosed, delimited spaces. This has allowed them to regain some control over their own image and to begin to create their own identity.

So, from women's traditional confinement to the private sphere, ex-votos serve as a privileged window through which their perceptions of family, collective and social relations can be gleaned. Women's ex-votos are therefore microcosms of their world and the relationships which they give importance to, or else gloss over and even avoid in their daily lives. Despite their modesty, and despite themselves, women have been the protagonists of ex-votos. Through their fears and gratitude they have revealed their specific interests and concerns, their understanding of relationships and traditions, and of the rules and options placed before them by society, in terms of the particular moment in history when each one lived, acted, reproduced, changed. ⊕ *Translated by Isabella Radcliffe.*

ALLIANCES IN ABSENTIA
THANKFUL EMIGRAN+S
JORGE DURAND AND DOUGLAS S. MASSEY

In 1884, the Central Mexican Railroad, located in Paso del Norte, Chihuahua — at the time a small border town — was connected to the vast railway network under construction in the United States which would unite the North and the South, the East and the West of that country's vast territory. Workers were drawn to the northern border as they joined in the laying of tracks through the successive stages

Top: Ex-voto. n.d. Oil on metal. Bottom: Nuñez. Ex-voto dedicated to La Virgen de San Juan de los Lagos. n.d. Oil on metal. Both Durand-Arias Collection.

of a long trajectory beginning in Mexico City. Thus many young men from the plains of Querétaro, and especially from the populated lands of the Bajío (Guanajuato) and Michoacán and from the barren lands of Los Altos de Jalisco, Aguascalientes and Zacatecas, formed the first contingent not only of a new type of laborer but also of a labor category until then unheard of—the migrant worker. From that point onward, news from the border and beyond was not long in coming. Reports of the expanding North American economy which required workers not only for duties on the *traque*—as the railroad was referred to—but also in agriculture, manufacturing and services spread to even the most isolated communities. The migratory flow increased and became unstoppable. Between 1900 and 1924 an influx of almost half a million Mexicans into the United States was recorded.

From this time on, a new, prolonged and inseparable relationship was forged between Mexico and the United States—one that has accumulated and left profound imprints on the evolution of countless communities in both countries, and on the destinies of numerous families of central western Mexico, the source of the migratory stream. Rural societies where large families abounded could and in fact needed to split up and scatter. Sons, husbands and brothers began to temporarily relocate across the porous and demanding border—seemingly an alternative to the poverty, lack of opportunities and financial income that were common in the Mexican countryside.

Nevertheless, emigration was a difficult situation to manage and assimilate by the societies, families and individuals affected by the incessant comings and goings between two neighboring countries whose cultures were so very distinct. The emigration of family members—especially the men—to the United States became an additional cause for concern in societies with a rural lifestyle and rural traditions, from where people rarely strayed and where it was almost impossible to keep in touch with those who did. Because of this, there appeared new and powerful reasons for the migratory experience to become associated with the use of the ex-voto—an offering of gratitude which condenses the most profound moments of anguish stemming from prolonged personal experiences. Another peculiarity of the migrant ex-voto is the lapse of time—perhaps even years—between an event and the moment at which the bequest is fulfilled, that is, at which the visit is made and the ex-voto is placed in a sanctuary.

This is partly due to the date of the migrant's definitive or temporary return home, but also to the fact that the migrant ex-voto is usually envisioned for placement in a specific sanctuary in Mexico, where the most ancient and rooted devotions are practiced, and where donors and viewers share the significance and the feeling of making the miracle public knowledge. To this day, there are churches abounding with this type of ex-voto in the mid-western region of the country: San Juan de los Lagos, Talpa, Zapopan, the Señor de La Misercordia in Jaliso; the Señor de Villaseca, the Señor de la Misericordia in Guanajuato; the Señor del Saucito in San Luis Potosí; and the Santo Niño de Atocha in Zacatecas.

The first existing migrant retablo known to date is that of Gumercindo Ramírez (ca. 1908–1912). It is a good summary of the world and the problems of the earliest laborers to cross the border. Ramírez was from San Francisco del Rincón in the state of Guanajuato, very close to where the San Francisquito station of the Central Mexican Railroad was located during the Porfirio Díaz years. This was likely his point of departure for the United States, perhaps as a railway laborer. In 1908, he had a work-related accident in Kansas, where railroads from the southeastern agricultural regions and the northeastern industrial regions converged, and where many Mexican workers were recruited. Just before what he perceived to be his "final moment" Ramírez entrusted himself to one of the most venerated images of his land: the Virgin of San Juan de los Lagos. The miracle and promise that followed were never forgotten, and it was four years later, in 1912, when he finally made it to the church "to dedicate this commemoration to her"—the ex-voto which was displayed for many years in the Virgin's niche.

One final characteristic of the migrant ex-voto is that it was made and can be read from two points of views: that of the family members and that of the migrant worker. One of the most frequent motifs for the relatives who stayed in Mexico, especially parents and wives, was gratitude for the return of the migrant after a prolonged absence. In some cases, it was also about absences that included very painful periods in which the migrant would become "lost"—that is when there was no news from him. For Florentina Castillo it was without a doubt a miracle that her son returned to Guanajuato after almost twenty years away from home. And as a matter of fact, during the better part of the twentieth century, emigration signified the chance to secure a better and

preferably quicker return to one's native land—as in the case of Candelaria Arreola, who had not yet finished her nine days of prayer to the Virgin of Talpa for the return of her son after his prolonged absence, when he came back to El Grullo. This is no longer the case, as reflected in ex-votos. In the last few years, there has been a proliferation of retablos expressing gratitude for the fact that relatives have been able to get their papers in order so that they can stay more or less definitively in the United States. For María del Carmen Parra, for example, the motive for an ex-voto to the Virgin of San Juan de los Lagos was her wish that her daughter get married in the United States.

Another common cause for the gratitude of families is recovery from an illness or injury. Such was the case of Margarita, whose gratitude to Saint Michael was spurred by his "having granted health to her daughter in Dallas, Texas." In all sanctuaries, ex-votos are found expressing gratitude for the release of imprisoned family members from jail on the other side of the border. When Alvina Quiroz found out that her son was "under arrest in the North she entrusted Our Lord of Villaceca" to return him to her safe and sound, which is exactly what happened. Slight changes may be noted over time. While it was once the parents who asked for and offered thanks for favors performed for their children, now it is the grandparents who are pleading for their distant grandchildren's wellbeing.

Ex-votos dedicated to La Virgen de San Juan de los Lagos. 1954 & 1948. Oil on metal. Durand-Arias Collection.

Doy infinitas gracias a la Santísima virgen de "San Juan" por - haber concedido el milagro, de salir de prisión. en E.E.U.U., encontrándonos mi tío, mi primo y Yo, en agradecimiento dedico el presente. Feb./88. San Felipe, Gto.   Victoriano Grimaldo.

Migrant concerns and gratitude have had to do with six fundamental and yet changing themes. Crossing the border, by river or through the desert, has always been cause for justified fears. For example, in May 1925, Domingo Seguro was caught in the strong current of the Rio Grande at El Paso, Texas, and when he invoked the Virgin of San Juan de los Lagos, "a friend of mine courageously came to my salvation by struggling with the terrible waters and getting me to the riverbank." But as the emigrants well know, the dangers that are observed on the border are not only natural ones. In 1989, Esteban Gómez, Esteban Hernández and Faustino Gómez escaped "an assault and murder attempt near the Rio Grande in Laredo, Mexico." Added to the fear of crossing the border is the desperation frequently felt in the decades between 1910-1950, of being left alone or getting lost in an unknown town or in a big city. For people of rural origin, as Matías Lara surely was, it must have been a terrible experience to be lost in 1919 in the city of Chicago, where tremendous industrial activity drew migrants from all over the world but where Mexican workers had barely begun to arrive.

Along with the ex-votos expressing the anxiety of crossing the border and settling down in the United States, another type of ex-voto was soon included—without a doubt the most common one—ex-

pressing gratitude for recovery from injuries resulting from accidents, whether involving the supplicant or a family member. Such experiences were particularly painful for migrants who were alone and far from home. Senovio Trejo thanked Saint Michael because while "working in the cotton fields and traveling from one place to another our car broke down, colliding with a lamppost that struck me in the brain, placing me in grave danger while so far from my country and my family." Ex-votos are also proof of emigrants' and their descendants' participation in all the wars the United States became involved in throughout the century—World Wars I and II, as well as the Korean, Vietnam and Persian Gulf wars. In 1967, José Luis Palafox went to the Sanctuary of the Virgin of San Juan de los Lagos to thank her for having "protected and saved my life in combat" in Vietnam. A theme of particular joy for the migrant was a quick return home. They often kept detailed accounts of the time it took to return to their land—for example, J. Refugio Trujillo who in 1980 returned "home safe and sound after three years in Florida."

In the last decade, the ex-voto has served as testimony to the feelings of gratitude on the part of emigrants for having obtained papers to allow them to legally remain in the United States, for managing to buy a house there, for their chil-

dren's having had the opportunity to study and become professionals.

A recent ex-voto to the Señor de los Milagros expresses the contradictions of the migrant family during this time: the donor is grateful for the miracle that "his son has come back from the North" but at the same time that he "had gotten his papers in order."

The ex-voto, one of the most sincere forms of expression of Mexican immigrants' longings and fears in the United States, certainly helped ease the impact of the transition from a rural society and being catapulted into a setting with strange habits and practices, in the world's richest country which both attracted foreign workers and discriminated against them, placing obstacles to their social integration before them. Though in the United States, workers were able to escape some of the problems that had impelled them to migrate, it was also there where they confronted situations and dilemmas brutal enough to become motives for gratitude when they managed to overcome them. As such, the ex-voto was transformed into a witness and a privileged testimony of migration between Mexico and the United States, a theme that affected the entire twentieth century and marked the relationship between both countries at the close of the millennium.
⊕ *Translated by Elena Schtromberg.*

Ex-voto dedicated to La Virgen de San Juan. 1988. Durand-Arias Collection.

ALEBRIJE

MONSTRUO DE PAPEL

SUPLEMENTO DE *ARTES DE MÉXICO* • 2000

LIBROS DE LA ESPIRAL

LA LUZ Y LA LÍNEA: DIÁLOGO

ALFONSO ALFARO

VOCES DE TINTA DORMIDA.

ITINERARIOS ESPIRITUALES

DE LUIS BARRAGÁN.

Alfonso Alfaro.

Estas páginas tienden un puente entre Luis Barragán y su obra: entre la vida interior de un artista y su arquitectura. Ellas constituyen probablemente el primer acercamiento biográfico a un personaje tan significativo para el arte de México y para la arquitectura del mundo. Los renglones de este libro van dibujando una piel y unos sueños que dan vida a los retratos de Luis Barragán que nos legaron los fotógrafos, y que dan sentido a los materiales, las formas y los volúmenes que son el cuerpo de las obras de arte que él edificó. Su biblioteca, ahora accesible gracias a los empeños de la Fundación de Arquitectura Tapatía, nos entreabre algunos recintos de sus moradas interiores que habían permanecido inexplorados.

ILUSTRACIONES DE MIGUEL COVARRUBIAS.

¿CÓMO ES POSIBLE CREAR UN ARTE PROFUNDAMENTE MEXICANO SIN LA MENOR REFERENcia a las glorias del pasado prehispánico, un arte altamente refinado a partir de materiales provenientes de la tradición popular; un arte volcado hacia el futuro sin hacer concesiones a las modas del presente? ❊ Luis Barragán provoca entusiasmos vibrantes en las elites de Tokio, de Boston o París, pero deja perplejos y renuentes a numerosos conciudadanos suyos de todas las posiciones sociales que tienen sus ojos vueltos hacia los *malls* o hacia Las Vegas. ❊ Su arquitectura incomoda por igual a nostálgicos del arte comprometido, de la línea de masas, de las soluciones fundamentadas ideológicamente como a aquellos que han aprendido a mirar y a soñar como se mira y como se sueña en Hollywood ❊ ¿Cuál es la razón de ese fervor por su obra de parte de las elites del gusto en todo el planeta y de la azorada incomprensión que provoca el desencuentro con tantos de sus coterráneos? ❊ Estas obras ocupan un lugar excéntrico en la cultura de México. Algunos de los más ilustres artistas de la primera mitad del siglo XX contribuyeron a crear la imagen oficial de la nación desde los muros de los recintos públicos exaltando la grandeza prehispánica y resaltando el carácter dramático del surgimiento de este pueblo entre los horrores de la Conquista, una visión de la historia sumamente afín a la que prevalecía en el mundo anglosajón. ❊ Luis Barragán debe haber percibido las cosas de una manera muy distinta; su sensibilidad se había formado en Mazamitla y en Guadalajara, en una región del país que nunca había formado parte del imperio de Tenochtitlán y en donde la más conspicua presencia azteca había sido la de los guerreros y pobladores indígenas que los castellanos llevaron del Valle de México como aliados suyos durante el proceso de colonización. ❊ Para él, el catolicismo no era una imposición sofocante y advenediza sino la patria natural de sus referencias identitarias y de sus lenguajes estéticos; la religión no era, como para numerosos intelectuales, una barrera que había que superar sino, por el contrario, un amplio horizonte abierto a la esperanza y a la búsqueda. ❊ En París, sus ojos habían aprendido que entre las formas que él amaba, las del mundo rural y provinciano, y el mejor arte del mundo, el más moderno, había rendijas que él logró transformar en pasadizos; en las grandes exposiciones universales de 1925 y de 1931, en Marruecos, en las culturas africanas, en el arte y la música de Bali, Nueva Guinea o Polinesia sus sentidos aprendieron a percibir las huellas que imprime el alma humana en aquellas obras que son fruto del amor y del rigor, unas huellas que son idénticas en todas las civilizaciones y que tornan estéril la voluntad de distinguir lo nuestro de lo ajeno y hacen peligrosa toda exaltación de las raíces. ❊ Los Estados Unidos fueron para él el país de los herederos de Henry James, una elite vuelta hacia Londres, París y Florencia y hacia el mundo, suelo fértil para las bibliotecas, las salas de ópera y los museos, encrucijada de creadores y, al mismo tiempo, el hogar de una de las

PORTADA: Ramón Alejandro y María Sada. PÁGINAS 2, 3, 4 y 5: Ilustraciones de Miguel COVARRUBIAS

DE NOSTALGIA Y ESPERANZA

culturas emergentes más vigorosas del siglo XX: la de la sociedad negra de Harlem, a cuyo reconocimiento y valoración habría de contribuir de manera señalada su amigo, el gran ilustrador y etnólogo, Miguel Covarrubias. ✳ La cultura de la ostentación y del arribismo, la de los éxitos cuantificables y tornadizos le fue, en los Estados Unidos pero también en el resto del mundo, definitivamente ajena. ✳ Así pues, las dos vertientes principales que forman las referencias simbólicas y el gusto de las mayorías escolarizadas y urbanas de México —el indigenismo en versión oficial y las seducciones del *American way of life*— se encuentran por completo ausentes de su programa estético. ✳ Luis Barragán introduce de nuevo en el arte mexicano un componente que había sido objeto de una sistemática voluntad de erradicación desde las postrimerías del siglo XVIII y que 200 años de modernidad habían reducido a la agónica condición de una sombra imponente; un fantasma cuyos secretos parecían tan impenetrables a la mirada de los creadores de su época como los enigmas de la arquitectura mesoamericana: el arte inspirado en una concepción trascendente de la realidad; el arte del claustro y del retablo. ✳ Ese arte existe para evocar la búsqueda y la ausencia y está al servicio de una causa: la construcción de un silencio que permita interrogar a la luz y a las formas para plantear las preguntas que no pueden ser respondidas en los territorios de la razón. ✳ La visión del mundo propia a la religiosidad del Concilio de Trento había sido combatida con ardor por la Ilustración, el arte neoclásico y las modernidades del siglo XIX. ✳ En el ámbito de la alta cultura, ella misma había ido agostándose hasta consumirse a consecuencia del repliegue de la catolicidad sobre sí misma, encerrada en posturas defensivas, y no ha sido hasta ahora reemplazada por un movimiento teológico ni por una propuesta estética de la misma originalidad, de la misma envergadura y de semejantes alcances culturales. ✳ Esa manera de concebir la realidad y esa manera de estar en el mundo habían ido siendo, poco a poco, desterradas de los espacios ganados por la cultura ilustrada y liberal, pero se hallaban vivas y rozagantes en amplias comarcas del paisaje mexicano. ✳ En la sierra del Tigre, donde se encontraba Corrales, la hacienda de los Barragán, a tiro de piedra del Michoacán que Luis González ha inmortalizado en *Pueblo en vilo*, una región mucho menos fragmentada étnicamente que las del centro del país, los pequeños agricultores sin letras y los terratenientes que leían en francés compartían un mismo universo donde el cometido de la razón no era reemplazar la fe sino iluminarla, donde el catolicismo era algo propio y vital y no rimaba necesariamente con oscurantismo. ✳ Luis Barragán representa pues esa otra vertiente de la cultura mexicana: amorosamente rural pero reconciliada con los rasgos occidentales de su rostro, los rasgos de un hijo de familia sin padre ausente y sin Malinche violada. ✳ Su obra no es la versión antitética del nacionalismo oficial, no es en manera alguna la reivindicación militante de la hispanidad

o de un arte devoto. No es una obra que se defina por oposición a algo y con nadie polemiza, él simplemente ve las cosas desde un ángulo marginal: el de un hombre de campo nacido y criado lejos de la capital, creyente y cosmopolita, y nunca dudó que la realidad que desde ahí percibía era hermosa y valía la pena de ser disfrutada y explorada. ✳ Por eso su obra puede recoger con toda naturalidad el legado del arte que había construido el paisaje humano en el que él nació y donde se formaron su sensibilidad y su gusto. En ese mundo los cánones estéticos que regían en la hacienda -que no solía ser mansión palaciega como era frecuente en el altiplano, sino macizo y rústico caserón solariego— eran muy semejantes a los de la residencia urbana, la casona de pueblo o la morada ranchera, unos cánones que habían sido, en gran medida, irradiados desde el convento: la belleza, hecha para perdurar, de los volúmenes sólidos y de las superficies simples, los espacios íntimos, el refinamiento de las materias naturales y discretas, la presencia continua de un firmamento que sus patios encuadran y que es el mismo en el claustro, en la casa pueblerina de reminiscencias andaluzas o en esa obra maestra del arte contemporáneo que es la azotea de su propia morada en Tacubaya... En esa desnuda austeridad en medios tonos, irrumpe de pronto el estallido de júbilo, el derroche, el exceso como el de esos estofados que refulgen en la penumbra de una capilla muda perdida en la sierra. ✳ Por eso puede Luis Barragán ofrecernos una obra lúcida y gozosa, llena de simpatía por los placeres de los sentidos, de sorpresas y paradojas. ✳ En contraste con la blancura y neutralidad de ciertos ambientes donde reinan el volumen, la luz y las texturas, destaca el suave cromatismo del vestíbulo que marca la entrada a su residencia, y se convierte en amarilla vehemencia en el espacio que protege el ingreso al *sancta sanctorum* de sus habitaciones privadas: territorios consagrados al color que van haciéndose cada vez más festivos, como en los recintos creados para los placeres de la mesa: los intensos tonos vernáculos —el rosa y el amarillo que se funden con una gota de verde para impregnar el aire de su comedor, presidido por un ángel de Chucho Reyes— anticipan ese *opus magnum* del arte barroco del siglo XX que es la alberca de la casa Gilardi, un ámbito cuyo programa arquitectónico está completamente volcado al triunfo del color abstracto. ✳ Las zonas liminares, que juegan con escalas casi excesivas, pueden dar origen a verdaderos efectos como la percepción del insigne volumen de su biblioteca, verdaderos asombros semejantes a los que se perseguían con tanto ahínco en Europa en el siglo XVII y en México todavía bien entrado el XVIII. ✳ En sus aposentos, estrictas composiciones de líneas rectas, en medio de la enfática sobriedad de un mobiliario cuya discreción ha sido perseguida con esmero, exulta como en los recintos barrocos, el brillo curvo y reflejante de las esferas, una presencia estilística que encuentra su plenitud en la versión moderna del retablo inaugurada por Mathias Goeritz: el oro se alisa hasta convertirse en superficie pura, sólo marcada por una ligera, perversa asimetría. ✳ Nuestra época ha recobrado la conciencia —perdida también, como el arte de aspiraciones trascendentes, desde el Siglo de las Luces— de la ingenuidad de las ambiciones humanas en materia de proyectos históricos y de la fragilidad de nuestros procesos cognoscitivos. ✳ Hemos aprendido de nuevo a poner en duda el testimonio de nuestros sentidos y las esperanzas de nuestra razón. Hemos tenido que volver a aceptar que el absoluto sólo se nos manifiesta a medias entre juegos y enigmas (san Pablo), como bien sabían nuestros antepasados barrocos, y como bien sabía Luis Barragán, cuyos espacios manifiestan siempre gracias al biombo, al muro a media altura, a la directriz quebrada la parcial presencia de lo ausente. ✳ Su serena, dolorida lucidez no le permitió perder de vista que ni el instante, ni la verdad, ni la persona amada jamás nos pertenecen por completo. ✳ Sus moradas remiten siempre a espacios entrevistos—como en los múltiples ámbitos que forman su biblioteca—, a horizontes recortados y cambiantes: los muros de su azotea delimitan el paso aleatorio, momentáneo y

fragmentario de las nubes. ✳ El sentido de trascendencia, la generosidad con los goces de la vista, la sorpresa, la heterogeneidad de las referencias, la paradoja, el ánimo lúdico: estos elementos comunes a la óptica del barroco y a la de Luis Barragán forman un programa coherente que los siglos XVII y XVIII lograron realizar acumulando elementos formales y, por el contrario, la arquitectura de Luis Barragán consiguió gracias a una estética opuesta: la de una depuración casi minimalista. ✳ Tales semejanzas no son fortuitas: sus libros y su archivo nos han revelado que tal era precisamente su sensibilidad: tridentina y preilustrada. Lo que resulta extraordinario es que él haya sido capaz de hacer surgir un arte de su tiempo, abierto hacia el futuro, con base en una concepción de la realidad que en las creaciones plásticas de la alta cultura en todo el mundo estaba muerta y enterrada desde hacía dos siglos. ✳ No sólo sus creaciones, no sólo la mirada que suscitan están constituidas de paradojas. Si su obra fue capaz de obtener esa espléndida síntesis a partir de elementos tan dispares es quizá porque lo que logró en el arte lo había también alcanzado en su vida. ✳ Porque Luis Barragán es un creador de espacios serenos pero por cuya biblioteca deambulan fantasmas inquietantes. Él es al mismo tiempo un asceta y un *dandy*, un empresario y un artista, amigo de las Reverendas Madres Capuchinas y lector de Baudelaire, devoto de san Francisco y cercano a los muralistas, exquisito y rural; un hombre, en fin, cuya herencia barroca se expresa en una obra casi zen. ✳ Marcel Proust, cuya cálida compañía parece haberle sido siempre tan cercana, nos ha dejado una clave fundamental para entenderlo: el gusto de los aristócratas, dice Proust, está naturalmente emparentado con el de los campesinos, en una complicidad de la que permanece excluida la sensibilidad burguesa y citadina: es un gusto formado en contacto con la naturaleza, seguro de sí mismo, fincado en una incuestionada conciencia de la propia ubicación social, modelado por una memoria larga y operante. ✳ La sensibilidad estética de las burguesías y de las clases en transición es, por el contrario, más proclive a la duda y al encandilamiento. ✳ El gusto de Luis Barragán estaba firmemente anclado en uno de los dos polos del paradigma proustiano, él era a la vez un hidalgo y un hombre de estirpe rural y continuó reconociéndose como tal a lo largo de toda su vida. ✳ Su refinamiento y su elitismo están ahí: en la firmeza con que pudo imponer su sobriedad campirana y su osadía cosmopolita, y ahí están también quizá los lazos que lo unen a sus fieles seguidores de su tierra y de las antípodas y la distancia que lo separa de tantos de sus compatriotas. Los grandes valores de las burguesías y de las clases medias, valores tan fecundos socialmente: la imitación, la pretensión, el ascenso —o bien la revolución, la transformación— no parecen haberlo rozado. ✳ El siglo que ahora comienza formula con frecuencia al arte preguntas que otras generaciones planteaban a las ideologías acerca del sentido del quehacer humano y del rumbo que guía nuestros pasos inciertos. ✳ Tales inquietudes anidan sin osar manifestarse declaradamente, reprimidas por una cultura cuya desilusión no ha cicatrizado del todo, bajo interrogantes de apariencia puramente estilística: ¿cuáles son las posibilidades expresivas de la línea y la luz?, ¿cuál es la íntima condición de la materia plástica?, ¿qué lugar corresponde a la belleza y la forma en un universo cuyas referencias simbólicas se vuelven cada vez más inasibles y fugaces? ✳ El destino de las obras de arte es ofrecerse, calladas y expectantes, a la caricia visual o a la indiferencia de las generaciones sucesivas. La mirada de hoy, tan distinta de las que proyectaron nuestros antepasados y de las que habrán de iluminar los ojos de nuestros sucesores, encuentra en la obra de Luis Barragán razones para alimentar una gozosa nostalgia y una serena, desencantada esperanza: las mismas que le permitieron realizar un arte fiel a su pasado y al de su linaje y convertir sus jornadas de creación y de silencio en una indudable apuesta por el futuro. Texto leído en la presentación del libro *Voces de tinta dormida. Itinerarios espirituales de Luis Barragán*, celebrada el 30 de mayo de 1996, en la Casa-Museo Luis Barragán. ✳ ✳ ✳ ✳ ✳ ✳ ✳ ✳ ✳ ✳ ✳

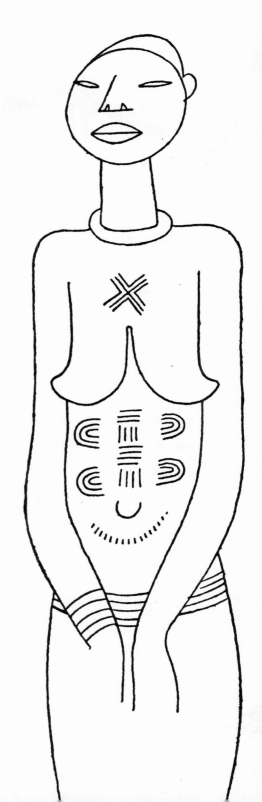

Xilitla y los góticos

ANTONIO SABORIT

ARQUITECTURA VEGETAL.

LA CASA DESHABITADA Y EL

FANTASMA DEL DESEO.

Lourdes Andrade.

Aquí se hacen evidentes los vínculos entre arquitectura, literatura y surrealismo, víncu-los que se establecen a partir de una ima-gen sugestiva que ha aparecido a lo largo de diversas épocas: la de la casa en ruinas y el fantasma que la recorre. Además de sus efectos sobre la sensibilidad, estas obras creadas en el cruce de la literatura, la ar-quitectura y el surrealismo, enfatizan un rasgo insólito: su carácter impráctico, ajeno al concepto de utilidad, supuesta-mente intrínseco a la arquitectura. Las ilus-traciones de María Sada que acompañan al texto contribuyen a la creación de una atmósfera onírica.

FOTOGRAFÍAS DE JORGE VÉRTIZ.

QUIEN ME HABLÓ POR PRIMERA VEZ DE LA ARQUITECTURA DE EDWARD JAMES, ES DECIR, de las extravagantes construcciones que este inglés levantó en Xilitla, San Luis Potosí, entre 1962 y 1984, activó una serie de asombros que me gusta procurar, como si eso fue-ra posible, a través de los relatos de quienes han emprendido el viaje a ese personal san-tuario ubicado en algún lugar de la Huasteca. ✱ En tiempos más o menos recientes, Mar-garita Mansilla y Gabriel Figueroa Flores me contaron su experiencia en Xilitla. De hecho, uno de los encantos de las miniaturas en platino que él ha hecho no sólo provie-ne precisamente de las imágenes que ha incluido en ellas de las columnas de James, si-no del gusto que el propio fotógrafo se dio al sugerir la existencia de castillos impredeci-bles tanto en los espacios abiertos de las ciudades como en los laberintos de la selva o el campo. Con Jorge Huft, Mansilla y Figueroa Flores armaron un libro, a estas alturas incon-seguible y que pide reedición, *Arquitectura fantástica mexicana* (IMSS, 1991). Y ahora cir-cula un sugerente ensayo de Lourdes Andrade, *Arquitectura vegetal. La casa deshabita-da y el fantasma del deseo* (Artes de México, 1997). "El clima frío, la lluvia y la niebla me remitieron al país de origen de James: Inglaterra", escribe Andrade. "Las construcciones, con sus remates góticos, sus ojivas, sus intrincados pasillos, me hicieron sentir como si hu-biera penetrado en uno de sus relatos a los que soy tan aficionada y que en otra época hicieran las delicias de Breton y de los surrealistas, las novelas góticas". El ensayo de An-drade es, entonces, una reflexión sobre la arquitectura como un objeto cultural. ✱ En el fon-do de *Arquitectura vegetal* hay un interesante ánimo restauracionista, permeado por mo-mentos por los exquisitos anacronismos de la imaginación contrafactual del surrealismo, el que podría resumirse en una pregunta muy sencilla y sin respuesta: ¿qué habría opi-nado Breton de las construcciones de Edward James? ✱ El ensayo de Andrade comien-za en el siglo XVIII; sobre las inexpugnables construcciones carcelarias ideadas por dos imaginaciones tan distintas, Jeremy Benthan y Giovanni Batista Piranesi, revisa las no-velas de Horace Walpole, William Beckford y Mathew G. Lewis, es decir que atiende la construcción del espacio escenográfico central de obras como *El castillo de Otranto* (1765) y *El monje* (1796), y llega a las nuevas figuras del castillo gótico en el siglo XX, ree-laboradas en primer lugar por Julian Grecq y más adelante por los surrealistas y en par-ticular por los temas e ideas del grupo que en México formaron estos artistas y poetas, desde Wolfgang Paalen y Leonora Carrington hasta Remedios Varo, Benjamin Péret,

PÁGINAS 6 y 7: Ilustraciones de María Sada

Katy y José Horna, César Moro. ✳ A diferencia del gótico en estos artistas, la exube-
rancia vegetal y los climas someten a una transformación constante a las almenas, columnas, escalinatas y canales ensayados por James entre la jungla de Xilitla. Recorrer
la zona en la que están diseminadas las construcciones plantea también múltiples posibilidades, añade Andrade: "No sólo en cuanto a que no hay trayectoria fija, sino también
en el sentido de que esta acción puede emprenderse en compañía o en soledad. La travesía en soledad ofrece ventajas desde el punto de partida de este texto. Los retos o peligros -reales o ficticios— que presenta el camino deben resolverse personalmente, enfren-
tarse sin ayuda. Se encuentra uno en una situacion análoga a la de ciertos personajes
de los relatos góticos. El itinerario es incierto. Cubierto por la bruma, el sitio resulta espan-
toso para un paseante solitario. Está lleno de susurros, se adivinan presencias ocultas que
se deslizan invisibles entre las grandes hojas de los helechos, tras los troncos, entre las
lianas y los fragmentos de concreto... La propia estructura del edificio —opuesta esen-
cialmente a la del panóptico— desordenada, asimétrica, irracional, constituye un elemento
perturbador. El principio antiutilitario y desconcertante a partir del cual están dispuestos los
elementos arquitectónicos, presenta semejanzas con el de la creación del *collage* surrea-
lista (de ahí su monstruosidad, su filiación con los espantosos seres míticos creados por
Max Ernst o por Leonora Carrington; evoca la insensatez de las *carcieri* piranesianas)".
✳ *Arquitectura vegetal* tiene muchas de las señas del itinerario de Andrade como una
seria estudiosa de las obras del surrealismo y sus protagonistas, y de ella misma. Si men-
ciono las señas de un itinerario en este libro sobre James, me refiero al deseo de Andrade
por descubrir y leer los diversos enigmas de una obra que reúne a la vez un gran diver-
timiento privado, una manera, y un sitio cuya esencia es el cambio, de una obra arquitec-
tónica, que es en efecto un capricho, como ella señala, pero en el sentido más goyesco
de la palabra, y en donde se expresan plenamente los delirios y pesadillas del célebre
sueño de la razón. Y acaso un rasgo novedoso en el itinerario de Andrade sea el paso
de la mera corrección expositiva a la voluntad de estilo, que no es otra cosa que la certeza de que la expresión literaria es sobre todo una herramienta del conocimiento sin
la cual el verdadero despliegue del ensayo y sus relatos tendrían la opacidad de la mirada de un cadáver que, en serio, nada tiene de exquisito. ✳ ✳ ✳ ✳ ✳ ✳ ✳ ✳ ✳ ✳ ✳
✳ ✳

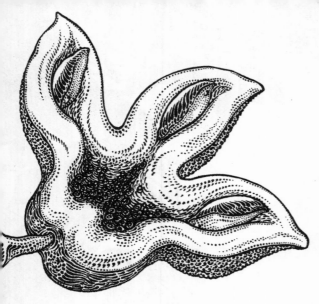

LOS
zumos de Orlando

CUERPOS EN BANDEJA.

FRUTAS Y EROTISMO EN CUBA.

Orlando González Esteva.

Que las frutas abunden en la literatura, la pintura y la música cubanas no es motivo de sorpresa, pero siempre lo será lo que el cubano descubre en ellas. Con las frutas se festeja, además, el cuerpo, el erotismo, y se accede a un edén poético.

En este libro desenfadado, el notable poeta cubano Orlando González Esteva se divierte y nos divierte ofreciéndonos con gracia e imaginación estos *Cuerpos en bandeja* que, como Octavio Paz escribió sobre sus poemas, son "pruebas de que el idioma español todavía sabe bailar y cantar". Nos muestra la propensión exagerada del cubano a sorprender en las frutas los atributos del cuerpo humano, y en éste, los tonos, texturas, sabores y aromas de aquéllas, llevándolo a confundir cuerpos y frutas con la tierra natal, y a ésta, con el paraíso.

Lo acompaña en esta fiesta editorial, ilustrando ampliamente el libro, el reconocido pintor cubano Ramón Alejandro, cuya obra ha encontrado en las frutas tropicales una de las cifras más claras del deseo.

LO MÁS EVIDENTE EN LA POESÍA Y EN LOS ENSAYOS DE ORLANDO GONZÁLEZ ESTEVA ES su aire de fiesta y en ella su inteligente rigor. Por eso Octavio Paz escribió que sus poemas son "pruebas de que el idioma español todavía sabe bailar y cantar". El mismo Orlando, en su ensayo gozoso sobre la forma poética de la redondilla, *Mi vida con los delfines*, (Trilce, 1998) hace la defensa de la poesía que sonríe y hace sonreír (p.50). ✳ En sus ensayos expone siempre de alguna manera el derecho a la diversión y así abre los argumentos, como aquellos negros de la canción (de Eusebio Grenet cantada por Bola de Nieve) que pedían permiso para cantar y bailar. ✳ Con frecuencia ha tenido el pudor de aclarar que sus ensayos no son sino "divertimentos", pensando tal vez en que lo mira sobre el hombro un universitario cejijunto. Pero sus editores y amigos lo hemos convencido que el divertimento no sólo está en la esencia de la poesía sino también en la del ensayo. No hay que pedir nunca perdón por ello. El ensayo es un paseo que a la vez es experimento: con él probamos otros caminos, navegamos otras vertientes, nos divertimos. ✳ Pero esta evidente fiesta de Orlando trae lo suyo, que no es tan evidente: es más bien un ritual, un acto profundo. Un gesto que quiere provocar la aparición de algo perdido, anhelado. Por eso Orlando cultiva en la poesía la muy vieja tradición barroca del disparate. El estallido verbal que en su aparente sinrazón expresa en su carcajada razones profundas. Su humor es siempre, como él mismo lo dice en el prólogo a uno de sus libros: "humor con trastienda que tiende a velar la tremenda insatisfacción" y concluye en esa nota inesperada a uno de sus libros más divertidos "el poema es una careta que oculta el vacío". ✳ El humor y el erotismo de su ingenio verbal son las flores gemelas, rojas y amarillas, de una planta de tallo negro, melancólico. Este poeta sabe muy bien que no hay sonrisa ni goce profundo que no obtenga su dimensión verdadera, su brillo, despegándose de un fondo oscuro. Si la risa reta a la muerte, si el erotismo es vida eterna del instante, la poesía que nos lleva a reír y gozar nos lleva al paraíso, nos da un poco de él. Todo lo anterior nos sirve para adelantar una hipótesis sobre este poeta inteligente y divertido. ✳ Me permito aventurar esta idea tal vez un poco burda y reduccionista, aunque sea para luego hacerla más sutil. La fiesta de Orlando, sus libros, su obra, es un ritual maravilloso que busca recuperar un paraíso perdido: Cuba. Sus palabras, su carnaval de ingenio nos tienden un puente hacia lo mejor de este país, su cultura que es naturaleza arrolladora, creciendo hacia el pasado y hacia el futuro. *Mi vida con los delfines* concluye proponiendo que el futuro es la poesía, que el porvenir de Cuba está tal vez cifrado en su poesía más risueña. ✳ Visto así, su libro de poemas *Escrito para borrar* (Trilce, 1998) es, como los anteriores, construcción de Cuba, todo en la forma poética de la redondilla, que es como un delfín, según el autor. Para explicar esta idea escribió luego una especie de poética a cuatro saltos que comenzó siendo nota a ese libro de poemas pero se independizó como una reflexión aguda y juguetona sobre la poesía, reflexión, en trastienda, sobre la poesía como recuperación del paraíso, de Cuba. Por eso *Mi vida con los delfines*, además de ser un libro iluminador por su inteligencia es muy divertido por su ingeniosa creación y, sobre todo, me parece profundamente conmovedor por su intento utópico de hacer paraíso en la tierra de las palabras bajo el cielo de Cuba. Dice el poeta: "Hay un loco por atar/en un rincón de mi frente/un loco clarividente/cuya patria es el azar". ✳ Pero entre todos los libros de Orlando, que releo con goce extremo, uno me enseña, me divierte y me conmueve más que todos. Hace poco más de un año llegó a mis manos el manuscrito y he tenido la suerte de poder editarlo, con muchos cómplices en el camino, que también lo han hecho suyo. Se llama *Cuerpos en bandeja. Frutas y erotismo en Cuba*, y explora gozosamente la tendencia exagerada de los cubanos, según dice el autor, a descubrir en las frutas los atributos del cuerpo humano, y en éste las formas, la textura, los sabores y hasta el aroma de aquéllas, llevando esa

PÁGINAS 8 y 9: Ilustraciones de Ramón Alejandro

POESÍA RITUAL, FRUTAS Y EROTISMO
ALBERTO RUY SÁNCHEZ

propensión hasta el extremo de confundir cuerpos y frutas con la tierra natal y por lo tanto ver en esta última el objeto vivo de sus deseos, una imagen del paraíso". ✳ Orlando nos demuestra, fruta en mano, que la serpiente no fue la culpable de la expulsión del edén, sino la fruta. Ella sola, sin diablo dentro o detrás. Ella es la extrema tentación. Y el dios Eros tiene en Cuba, nos dice el poeta, rotonda cara de fruta. El patriotismo cubano está ligado a una visión erótica de la isla y esa visión encarna en las frutas. "Devorándolas el cubano se repatria, vuelve a la raíz... incorpora a Cuba". ✳ Sigue el desfile de frutas, una por capítulo y varias citas por cada una, debidamente comentadas en racimo. La piña es la reina insular, la favorita de José Lezama Lima, que la veía como "luz congelada, como si por una magia suavemente ordenada por la voz la luz se trocase en tela". Y Virgilio Piñera afirmaba que el perfume de una piña podría detener el vuelo de un pájaro. Su racimo interno es enjambre de ojos que nos miran sonriendo desde las entrañas, las de una mujer, se entiende. ✳ La papaya es en Cuba el nombre del sexo femenino, la fruta metáfora por excelencia, la más obscena de las delicadezas. El mamoncillo, hecho para chuparse, es metáfora en sentido inverso: el cuerpo casi le da nombre en la acción de los labios que un pezón amamanta. El plátano es demasiado evidente, tanto que Lezama hace que uno de sus personajes, Oppiano Licario, afirme su carácter doblemente fálico: "Si vemos la pulpa del plátano con la cáscara en su extremo, es la misma sensación que si en imagen colocamos al falo en la boca de la serpiente". ✳ Los aguacates son los testículos de la tierra, *La dama de la isla de Cundeamor*, citada por Orlando, confiesa "Yo todas las mañanas sopesaba los aguacates que colgaban a la altura de mi cabeza, conversaba con ellos y los pellizcaba con verdadero deleite. Aún no estaban maduros pero se hinchaban visible y sabrosamente. Me metí en la fronda obscura y palpé, delicadamente, la rugosidad de la cáscara. Calibré su densidad, su dureza y su peso. Si alguien que no me conociera hubiera presenciado aquel manoseo, habría pensado que yo soba ba obscenamente a mis aguacates. Y tal vez con razón". ✳ Naranjas, mameyes, marañones, mangos, caimitos y guayabas son algunos otros manjares de esta bandeja del deseo. El libro se fue conformando, tal vez ahora indisolublemente, con otro racimo de frutas aportado especialmente para esta edición por el reconocido pintor cubano Ramón Alejandro. Desde hace varias décadas este artista ha hecho en sus cuadros una perturbadora invocación de las fuerzas de la naturaleza. Su obra ha sido ampliamente reconocida por su fuerza deseante. Cabrera Infante escribió sobre él y con él un libro, *Vaya papaya*. Severo Sarduy hizo poemas para sus grabados de frutas, una ofrenda voluptuosa a cada uno de sus amigos, una *Corona de frutas*. Ahora ha colaborado con Orlando en esta bandeja, donde además de treinta dibujos sorprendentes se reproducen tres decenas de sus óleos y grabados. Y Orlando, en varios de los capítulos del libro, comenta copiosamente sus cuadros. ✳ La pintura, la música y la literatura cubanas son la materia jugosa de esta bandeja que va más allá de nuestro apetito, que al abrirse desprende ese jugo evaporado que en México llamamos zumo, evidente especialmente en los cítricos. Y que no es el líquido del jugo, llamado zumo en España y en otros países. El zumo para nosotros es un resplandor húmedo, el anuncio del jugo en la fruta, su aura aparecida. ✳ Los zumos de este libro nos seducen y nos van colmando a cada instante. Debo confesar que, independientemente de las intenciones del autor de este carnaval poético, yo no sé si me lleva a Cuba o algún otro rincón de cierto cuerpo femenino. Este patriotismo copioso y obsceno de los cubanos en el mundo hará sin duda que, antes de que se olvide la pesadilla amarga de la dictadura, se termine llamando cuba no sólo a una bebida con ron sino a alguna parte apetecible del cuerpo. Se dirá tal vez, "déjame besarte la cuba", o "el olor de tu cuba me atormenta", o "te quiero tanto que me duele la cuba", o "tremenda cuba tú tienes". Cuando la gente se toque con aire de lujuria se estará cubeando. Se llamará cuba tal vez a un balanceo no soñado: "pero qué cubeo", a una sonrisa fatigada en el amor, a una forma de bailar con la música por dentro, a una manera especial de arreglar las frutas o de morderlas, pero sobre todo a una forma olorosa y carnal pero volátil del pecado: "cometí una cuba". Ya están en el campo de los pecados de la carne (que ya vimos que son también pecados de la fruta) palabras como íncubo y súcubo. Cuando un deseo crezca escondido se dirá que se está incubando. ✳ Lo más seguro es que se tenga que decir que "llegó la hora de cubear" en momentos como éste cuando las palabras llegan a su límite, el cuerpo quiere manifestar sus cosas en otros lenguajes y, con la voz de Bola de Nieve por dentro, podemos decir "mas ná: aquí estamos todos los negros y venimos a rogar, que nos concedan permiso para cantar y bailar". Texto leído en la presentación del libro *Cuerpos en bandeja. Frutas y erotismo en Cuba*, celebrada en el Salón Riviera el 18 de agosto de 1998. ✳

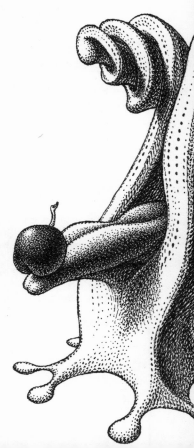

El jardín del Palacio Azul

ALBERTO RUY SÁNCHEZ

ARQUITECTURA IMAGINARIA.

AL AZRAK, EL PALACIO AZUL.

León R. Zahar.

Construido con fragmentos de leyendas y solares, el Palacio Azul —la última morada de los califas— es el resultado del empeño de León R. Zahar, orientalista mexicano de ascendencia libanesa, por revivir el objeto de sus sueños.

Acceder a estos alcázares significa un intento de identificación con el arquitecto medieval del Islam, con su cosmovisión, su estética y su concepción del poder.

Estas páginas, prologadas por dos especialistas, Oleg Grabar y Rafael López Guzmán, incursionan en una geografía cuyas coordenadas están trazadas por el sueño y la realidad, entre el cuento oriental y la geometría precisa de la arquitectura.

FOTOGRAFÍAS DE JORGE VÉRTIZ.

AUNQUE EL ARQUITECTO LEÓN R. ZAHAR AFIRMA QUE EL FAMOSO Y ENIGMÁTICO PALAcio Azul, Al Azrak, se encontraba en algún lugar indeterminado entre Samarkanda y Bagdad, nos han llegado informes que lo contradicen. Un disidente de la famosa expedición del embajador español Ruy González de Clavijo a Samarkanda y Bujara, efectuada entre 1403 y 1406, da testimonio de otra localización, no menos problemática. ✻ Alonso Páez se vio obligado a separarse de sus compañeros de viaje por haber tenido opiniones radicalmente distintas a las de su comandante y excelentísimo embajador sobre un tema fundamental. Páez insistía en que el agua de un manantial cercano a su campamento era pura y podía beberse. Lo cristalino del estanque y la naturaleza de sus reflejos dorados bajo el sol lo convencían de ello, razones superficiales para su comandante, educado en la desconfianza sistemática de las apariencias resplandecientes en el mundo diplomático. ✻ Pero Páez ya antes había conocido ese resplandor y profundidad transparente ante su sed. Con esa convicción en la punta de la lengua se rebeló abiertamente contra su comandante, bebió abundantemente esa agua y además incitó a sus compañeros para que se unieran con él en ese placer deleitable de tener razón por la lengua. ✻ En los diarios de Ruy González de Clavijo ese asunto termina con la enfermedad y el delirio de Alonso Páez y los cinco que se unieron a él en eso que un cronista llama, no sin ironía: "La extinta rebelión de la lengua seca, ahogada en la misma agua secretamente podrida que era el objeto de su antojo y su razón de levantarse". ✻ Pero en una carta de Páez a una andaluza que en aquellos años lo perturbaba más que la fiebre, cuenta su casual descubrimiento del Palacio Azul y de sus jardines. En medio de la fiebre recuerda que lo llevaban en una camilla en la retaguardia de la expedición, y que al acercarse a la ciudad de Samarkanda acamparon en una colina donde recibieron la orden de acercarse por cierta puerta a la muralla y dejar atrás a los hombres enfermos. Por lo que se decidió emprender con ellos, los rebeldes de la lengua seca, un retorno lento a la última ciudad que habían cruzado. ✻ Esta subexpedición de enfermos, más un par de guardias y varias mujeres que acompañaban al cortejo, se perdió. El guía fue contagiado, no se sabe cómo pero se sospecha de un severo tráfico de besos. ✻ Después de algún tiempo, no se sabe cuántos días porque ya nadie en el grupo era capaz de contar con certeza los soles que habían cruzado, se acercaron a la región de dunas que, luego lo sabrían, rodea a la ciudad amurallada de Mogador. Vieron a lo lejos un resplandor azul que se fijó en sus pupilas. Y pensaron que era cierta la leyenda (documentada por Alberto Manguel en su *Enciclopedia de los lugares imaginarios de la literatura*) de la ciudad de Abatón y su Palacio Azul: una ciudad sin localización fija. Quienes la buscan abiertamente no la encuentran, aunque son muchos los viajeros que la han visto aparecer de pronto sobre el horizonte. ✻ "Como todo lo que rodea a Mogador, és-

PÁGINAS 10 y 11: León R. Zahar. *Al Azrak. El palacio Azul.* Fotografías de Jorge Vértiz

te es el palacio del deseo, –describiría después Páez–, y como tal obedece las leyes aza-
rosas de lo deseado: nos arrebata lo que anhelamos torpemente y nos entrega por sorpresa lo que no sabíamos que necesitábamos tanto y que se ajusta tan perfectamente
a nuestros cuerpos". ✲ Otro palacio, en *Las mil y una noches* (según me contó, a las puertas de Mogador, Claire Eddine Bencheikh, esposa del poeta Jamal), únicamente puede
ser visto a lo lejos por los enamorados, como si ese estado alertara especialmente a la
mirada. ✲ Según sir Thomas Bulfinch, quien tres siglos después sería el gran cronista occidental de Abatón, a lo lejos, junto al resplandor azul del palacio, crece hacia el viaje-
ro una música de tamborines y cuerdas que ya nunca se olvida. El olor llega en oleadas
mezclando tufos demasiado dulces y flores desconocidas, aromas que retan y poseen. ✲
Páez describe con detalle pero con algo de prisa su llegada al palacio y sólo se detiene
de verdad en los jardines. Complementa la descripción minuciosa y evocativa a la vez
de León R. Zahar quien, a la inversa, pasa pronto por los jardines y se detiene en el palacio. Ambos tocan la esencia cautivante de ese lugar que algunos todavía se empeñan
en pensar que no existe. ✲ "Durante varios días dudamos si estábamos vivos o si ése
era ya el paraíso. Porque una vez que entramos a los jardines del Palacio Azul nada podría valer como argumento para alejarnos de ellos. Daban la impresión de estar conteni-
dos en un patio interno. En cuatro muros del palacio, un Ryad, nos decían. Pero se trataba tan sólo de una ilusión porque desde ningún ángulo se podía tener una perspectiva
total de aquel supuesto encierro. Después de descender varias terrazas se llegaba a uno
de los centros posibles del jardín azul, una fuente excavada en el piso donde confluían
cuatro arroyos recordándonos los cuatro ríos legendarios del Edén. Algunos árboles estaban sembrados a un nivel más bajo que las terrazas creando huertas enterradas en
geometrías que difícilmente se adivinaban. Después de cruzar varias terrazas uno se
daba cuenta de que había caminado más que la extensión del palacio y que el jardín,
en vez de estar contenido en él, lo contenía. ✲ La arquitectura prodigiosa de sus azulejos era de pronto tan sólo una flor más del paraíso. De día dominaban las flores azules.
Un mar parecía flotar sobre los árboles, rodeado de abejas. De noche estas flores, que
hacían espejo a los azulejos, se cerraban y bajo la luna se abría una marejada de flores
blancas como espuma. ✲ Las fuentes cantaban, como en todos los jardines árabes que
hemos visitado en este viaje, pero aquí su canto parecía repetir los nombres de los enamorados que, según una tradición que me han contado, ya nunca saldrán de estos sen-
deros. Y si mi nombre, Alonso Páez no estuviera grabado para siempre en la voz del
agua de este jardín del Palacio Azul, con gusto hubiera regresado a verte". Texto leído en
la presentación del libro *Arquitectura imaginaria. Al Azrak, el Palacio Azul,* celebrada el 9 de diciembre de 1999,
en el Museo Nacional de San Carlos. ✲

R astros kármicos

MIGUEL ÁNGEL ZAPATA

RASTROS KÁRMICOS

Una serie de fotografías sorprendentes tomadas por Nina Subin en diversos lugares sagrados del mundo crea un nuevo espacio para nuestra mirada en este libro donde la imagen es poesía. Este recorrido de asombros está entretejido con un ensayo de Eliot Weinberger sobre el tiempo dentro del tiempo en la experiencia poética. Así, *Rastros kármicos* es también un doble examen lúcido de la poesía y la contemplación.

EN ESTA ESPLÉNDIDA EDICIÓN DE ARTES DE MÉXICO SE REÚNEN FOTOGRAFÍAS DE NINA Subin y ensayos de Eliot Weinberger. Tanto las fotografías como los textos literarios sugieren una lectura simultánea debido a que existe una intrínseca relación entre imagen y palabra, sonido y tonalidad. Las fotografías de Nina Subin no son sólo una visión personal de la naturaleza, sino una representación luminosa de la humanidad a través del tiempo y la memoria. El poema -que mantiene su irradiación muy cercana a la fotografía- escoge el territorio que va a grabar en la memoria, aquella raicilla imperceptible que mueve la tierra, el aire pardo de la miel de los idos, y lo aparentemente irrelevante se convierte en trascendental. En la fotografía esto se ejecuta mediante una interpretación de lo visto y transfigurado, y a través del ritual de una revelación. ❋ Para algunos, hay ciertas distancias entre la fotografía y la pintura, y hasta ciertas ventajas posee la pintura en relación con la superficie. Por ejemplo, la pintura levanta el velo del paisaje, descubre el rostro y la vida del cuerpo, y además, el pintor tiene la alternativa de ignorar o corregir lo innecesario, dotando o cambiando un color, recombinando y recomenzando cada vez. Por otro lado, la fotografía aparentemente no posee estas alternativas. Pero si nos fijamos bien, veremos que existen otras vías para arreglar las imágenes. El fotógrafo sí puede alterar la posición de las cosas, cambiar de lente y de alcance, escindir el espectro de la imagen deseada, y hacer lo mismo que pretende el pintor. Así se acepta el reto más difícil: presentar -como lo hace magistralmente Nina- el paisaje con toda su fuerza y ritmo, adecuando la sombra y la luz, ahí donde el cielo y la tierra se hacen uno solo. En la fotografía la combinación recrea una multiplicidad. En las visiones de Nina se combina de nuevo la vitalidad antigua (el karma, la memoria), y el cuerpo y el paisaje se convierten en la base de un sistema de proporciones, como había sugerido Vitruvio: es decir, se inicia el vuelo avasallante de la oscuridad hacia la claridad. ❋ El arte de Nina Subin tiene como apoyatura la tradición, pero este contacto no se centra exclusivamente en la historia de la fotografía mundial sino también en la música, la pintura y la literatura. Su éxito radica en un acto de transmisión. Al observar las fotografías el poeta siente las palabras en su cielo, luego sobrevuela sobre los copos de nieve y el cielo gris. El silencio sale corriendo de una cueva, y reaparece en una laguna de Islandia. El poeta escribe y abre las ventanas, se arrodilla y ora de blanco ante un templo imaginario. Y mientras recorre las fotografías encendido ve que la memoria está presente en estas fotos: una luz recorre los árboles, las murallas extintas, las cabezas derrumbadas en su piedra por el tiempo y la falla de la memoria. Ahí encontramos el vaho de lo desconocido, la poesía del humo que emana la tierra en forma natural, el árbol de los mil signos y las mil raíces, el horizonte tapado por las enormes ramas. Un cuerpo moreno bailando entre ro-

PÁGINA 12: Nina Subin. Benares, India. 1979. PÁGINA 13: Nina Subin. Barmer, Rajastán, India, 1996.

pas blancas que se abren como alas, el cuello firme y la mirada sin rumbo. Los brazos abiertos indican la revelación de una fe que nos lame el cerebro. El poema y la imagen, el poema y la foto están sedientos de palabras y de luz: los sonidos se pierden entre la sombra blanca y negra. La imagen de la fotografía forma un presente inconmensurable con la voz del poema en el tiempo. ✳ Octavio Paz había dicho que la poesía era el presente. Charles Simic dice que el lenguaje se mueve en el tiempo, pero el impulso lírico es vertical, y señala que el presente es el único lugar donde experimentamos lo eterno. El presente no es el instante sino la permanencia de un suceso a través de los tiempos. Sabemos que el instante se esfuma fuera del tiempo, pero el poema permanece indeleble ante el fuego deteriorado de la historia. Las imágenes de las fotografías de Nina Subin y los textos de Eliot Weinberger presentan ideas paralelas en este sentido. Los territorios vividos y vistos permanecen en la memoria del presente, y abren otro espacio vertical que corta la temporalidad de los sentidos y de la vida. Me imagino que el acomodo de las fotos y los textos fueron dispuestos así por los autores. En sus páginas el presente se manifiesta a través de los siglos, y cada vez que un signo (la palabra, la imagen) se clava en la arena, cada vez que una pluma se mueve cerca de las ventanas, uno escribe sobre el aire fresco de afuera y ve a un hombre otra vez orando bajo las sombras de su templo. Eliot Weinberger dice que "los poemas antiguos, los grandes, son tan inmediatos, si no más, que los escritos ayer [y que] una sustancia viva e indefinible –acaso sus rastros kármicos– confiere al poema una vitalidad que perdura a lo largo de las épocas, incluso si la lengua en la que se escribió desaparece, aun si viaja de una lengua a otra en la traducción". Por eso aún sentimos fascinación por Homero (en cualquier idioma) y por aquellas mujeres que son mitad pez cantando hermosamente hasta volver locos a los marineros en alta mar. ✳ Los ensayos de Weinberger tratan sobre temas que se centran en el tiempo, la memoria, el olor y la poesía como un instrumento vital ante la muerte y su vanal instrumentación histórica. La tradición de la reescritura sobresale como un segmento crucial en esta poética. El ensayo 5 es magistral en este sentido. Aquí Eliot Weinberger sugiere –siguiendo la tradición de la China clásica– que cada acto de escritura comenzó como un acto de lectura. Y es verdad. Los escritores somos el producto de nuestras lecturas, y no sólo de nuestras experiencias. Tanto la lectura bien asimilada como la experiencia conforman una unicidad fundamental en la poesía de todos los tiempos. Cada poema es un afán de reescribir el disperso bosque de letras, recolectar nuevamente las hojas amarillas de otros tiempos, y navegar por otro manantial, sin olvidarnos del inmenso río. Este otro manantial tiene que ser uno que renueve esa agua mortificada de los muertos, y que avive el diálogo para que la transmisión perdure. ✳ ✳ ✳

"Entre todos lo conocemos todo"

Alfonso Reyes

fce

Los transterrados españoles en el Fondo de Cultura Económica

Noticias frescas importadas de Europa todos los días...

...y no es necesario comprarlas por kilo

EL PAIS

EL PAIS ES UN DIARIO ESPAÑOL VERDADERAMENTE INTERNACIONAL.
Desde temprano en su puesto de periódicos. Suscríbase al 605 67 58.

CADA LIBRO UNA MIRADA HETERODOXA SOBRE EL ESPACIO, LA IMAGEN Y LA POESÍ

ARTES

RETRATO DE ARQUITECTO CON CIUDAD

Prólogo
Octavio Paz

TEODORO GONZÁLEZ DE LEÓN

VOCES DE TINTA DORMIDA

Itinerarios espirituales
de Luis Barragán

ALFONSO ALFARO

CONCIERTO EN LA HABANA

SELECCIÓN Y PRÓLOGO
ORLANDO GONZÁLEZ ESTEVA

LA CIUDAD EN ESTAMPAS
Zacatecas 1920-1940

EUGENIO DEL HOYO

CONCIERTO E

...RPOS EN BANDEJA
Frutas y erotismo en Cuba

...RLANDO GONZÁLEZ ESTEVA

Ilustraciones de
RAMÓN ALEJANDRO

Fábric

Doy grasias por aber llegado con bien de mi viaje a Acapulco.

Fotógrafo: J. Vértiz.

53